Blanche Vergne

LES BUFFETS

Canapés, petites bouchées et amuse-gueule
pour toutes les occasions

Les Buffets

Blanche Vergne

Canapés, petites bouchées et amuse-gueule
pour toutes les occasions

FRANCE LOISIRS
123, boulevard de Grenelle, Paris

Remerciements

Bernardaud, 11, rue Royale, 75008 Paris.
Boutique scandinave, 19, rue des Pyramides, 75001 Paris.
Geneviève Lethu, 95, rue de Rennes, 75006 Paris.
Les Contes de thé, 60, rue du Cherche-Midi, 75006 Paris.
Le Jardin moghol, 53, rue Vieille-du-Temple, 75004 Paris.
La Librairie Sialsky, 2, rue Pierre-le-Grand, 75008 Paris.
La Maison ivre, 38, rue Jacob, 75006 Paris.
La Tuile à loup, 35, rue Daubenton, 75005 Paris.
Laure Japy et Cie, 34, rue du Bac, 75007 Paris.
Noir sur blanc, 10, rue Bridaine, 75017 Paris.
Quartz, 12, rue des Quatre-Vents, 75006 Paris.
Quatre saisons, 88, av. du Maine, 75014 Paris.
Simon Ezagury, 81, rue de Truffaut, 75017 Paris.

Édition du Club France Loisirs, Paris
avec l'autorisation des Éditions Solar

© 1995, Éditions Solar

Photos : Nicolas Leser
Stylisme : Ulrike Skadow

Photocomposition : PFC
Photogravure : Chrom'Arts Graphic

ISBN : 2-7242-9537-4
N° Éditeur : 26646
Dépôt légal : juin 1996

Sommaire

Avant-propos

Vous avez décidé d'inviter des amis ou de réunir votre famille, mais vous voudriez que votre réception soit originale, étonnante, et qu'elle reflète, d'une certaine façon, votre personnalité.

Ce livre a été conçu pour répondre à votre attente. Il propose des repas complets élaborés autour d'une saison ou d'un thème : menus classiques, buffets traditionnels mais aussi Noël provençal, brunch, festin romain... La tradition y côtoie l'insolite, et les surprises gustatives sont au rendez-vous.

Par ailleurs, plutôt que de les cantonner autour d'une table, vous voudriez que vos convives puissent évoluer librement et bavarder avec tous les présents. La formule du buffet est alors tout indiquée ; outre qu'elle vous évitera de mettre la table, elle conférera à votre réception, plus décontractée, davantage de chaleur et de convivialité. Chaque invité pourra se servir selon ses goûts et n'aura pas à se contraindre, par politesse, à manger des aliments qu'il n'affectionne guère.

Les recettes sélectionnées ici se présentent, le plus souvent, sous forme d'amuse-bouche, de toast, canapé, tartine, feuilleté, papillote, etc., qui se prennent avec les doigts ou à l'aide de piques en bois, et s'avalent en une seule bouchée. Pour les salades, qui nécessitent une assiette et des couverts, vous pouvez opter pour de la vaisselle jetable, en carton ou en plastique – il existe aujourd'hui des modèles très décoratifs.

Choisissez une décoration, voire une musique d'ambiance en harmonie avec le thème de votre menu. Ainsi, le buffet breton sera-t-il présenté sur une nappe bleue et dans des plats en forme de poisson ; pour le Noël provençal, vous utiliserez une nappe en tissu provençal, de la vaisselle en terre cuite et des santons ; le menu high tea sera servi sur une nappe écossaise, etc. Vous pouvez créer de cette façon toutes sortes de décors, traditionnels ou originaux.

Vous avez donc décidé de convier vos amis ; avant de lancer les invitations, il vous faut répondre à quelques questions : combien seront-ils, se connaissent-ils, ont-ils des affinités, y aura-t-il des enfants ? Faites en sorte de constituer des groupes homogènes de six à douze personnes – un plus grand nombre demanderait une organisation particulière. Si c'est votre famille que vous devez recevoir, il vous suffit de déterminer le nombre de personnes : vous trouverez dans ce livre suffisamment d'idées pour vous permettre de marquer de façon originale les événements importants de la vie.

Vous choisirez votre menu en fonction de vos convives, mais aussi de votre budget. S'il est limité et si vous attendez de nombreuses personnes à votre réception, vous éviterez les recettes à base d'ingrédients coûteux. Vous réserverez ces derniers pour des occasions exceptionnelles ou un repas en petit comité. Remplacez la richesse des denrées par l'exotisme, l'originalité, l'abondance des couleurs, la variété des saveurs et des arômes. La cherté des ingrédients n'est en aucun cas une garantie de réussite, et un repas à budget modeste peut être extrêmement raffiné...

Multipliez donc les occasions de recevoir, et n'hésitez pas à vous faire aider notamment si vous manquez de temps et qu'on vous le propose ; grâce à cet ouvrage, vous pourrez renouer avec la tradition des grandes tablées, et vous redécouvrirez le plaisir de la convivialité.

A vos préparatifs...

Organiser un buffet

Vous avez décidé d'organiser une réception ; avant de lancer les invitations, consultez votre agenda, afin de choisir judicieusement la date : vous devez avoir suffisamment de temps pour faire vos achats et préparer votre repas.

● Prévoyez votre réception au minimum une semaine à l'avance, si possible deux ou trois, afin que les personnes que vous souhaitez inviter ne prennent pas d'autres engagements et que vous puissiez déterminer avec certitude le nombre de vos convives. Ne leur dévoilez pas le thème de votre réception, ménagez la surprise...

● Achetez les ingrédients de base qui vous manquent une semaine à l'avance, ne serait-ce que pour avoir l'esprit tranquille – il est probable que nombre de produits dont vous aurez besoin sont déjà dans votre placard ou votre réfrigérateur. Commandez éventuellement chez vos commerçants habituels les préparations que vous ne souhaitez pas faire vous-même.

● Au plus tard la veille de votre réception, faites vos derniers achats. Préparez le matériel dont vous aurez besoin et établissez votre programme pour le lendemain.

La préparation

Si vous en avez la possibilité, préparez votre buffet l'après-midi de la réception quand elle doit avoir lieu le soir, le matin lorsqu'il s'agit d'un déjeuner. Si vous craignez de manquer de temps le jour même, confectionnez tout ce qui peut l'être la veille. Vous ferez réchauffer les plats qui le nécessitent au dernier moment – au four à micro-ondes, par exemple. Placez toutes les préparations au frais jusqu'au moment de les servir.

La présentation

Une table joliment présentée et décorée participe à la réussite d'un repas.

● Habillez la table d'une nappe en harmonie avec le thème de votre réception. Vous pouvez utiliser des assiettes en carton et des serviettes en papier assorties à la nappe, mais préférez les verres en verre, tout de même plus beaux que les gobelets en plastique – le vin y prendra d'ailleurs une tout autre saveur. Toutefois, si vous manquez de coupes à champagne, il existe des flûtes en plastique à pied disponibles désormais dans toutes les grandes surfaces. Pour les salades, prévoyez des couverts en plastique – les autres préparations de

ce livre se présentent sous forme de bouchée.

● Pour les réceptions de plein air, vous pouvez aussi recouvrir la table de jardin d'une nappe, mais cela n'est pas indispensable. Placez la table non loin d'un abri, afin de pouvoir vous y réfugier en cas de pluie.

Avant l'arrivée des premiers invités, disposez quelques fleurs, éventuellement des bougies ici et là, puis apportez les plats recouverts d'un film plastique. Placez les assiettes empilées sur un coin de la table ; posez à côté les couverts, ainsi que les verres retournés. Présentez différentes sortes de pain dans de jolies panières. Répartissez des coupelles de beurre doux et demi-sel en gros morceaux en divers endroits. Et n'oubliez pas les bouteilles d'eau, plate ou gazeuse.

Évaluation du temps et des quantités

Les quantités à prévoir dépendent, bien entendu, du nombre de convives. Quant au temps de préparation, il est directement lié aux recettes choisies. En moyenne, les menus proposés dans cet ouvrage nécessitent 30 minutes à 2 heures de préparation.

Organiser un buffet

De façon générale, on a pris, ici, le parti de la diversité, plutôt que celui de l'abondance d'un ou deux plats. Il n'est donc pas nécessaire de préparer de grosses quantités pour chaque recette. La plupart des buffets proposés comportent quatre ou cinq étapes : les amuse-bouche, l'entrée, un ou plusieurs plats principaux, les fromages et le dessert. Plus il y aura de plats différents et plus les quantités de chacun devront être réduites. Néanmoins, comptez par personne environ 100 g de pain, 100 g de fromage, 100 g de salade, 200 g de viande et de légumes, 200 g de dessert. En ce qui concerne les boissons, prévoyez 0,5 l de vin, 0,5 l d'eau, un ou deux apéritifs et du café pour ceux qui le désirent.

Le temps dont vous disposerez sera un élément déterminant dans le choix de votre menu. Il en existe un qui ne demande que 30 minutes de préparation mais c'est le seul ! Si vous êtes pressé, optez donc pour les plats qui peuvent être commandés chez des professionnels : le plateau de fruits de mer chez le poissonnier, par exemple. Mais vous pouvez aussi sélectionner un menu qui vous permette de procéder par étape : la préparation la veille et la présentation le jour même,

ou bien l'entrée et le dessert d'abord, et le reste le lendemain... Autre conseil, obligez-vous, une fois votre réception terminée, à ranger aussitôt, cela vous évitera la désagréable surprise des « lendemains de fête ». Tout est affaire d'organisation !

Le matériel nécessaire

- plats de service de tailles et formes différentes
- terrines en terre cuite et en porcelaine blanche
- bols, raviers, ramequins, coupelles en abondance
- moules à tarte, à manqué, à charlotte
- couverts de votre service
- nombreuses piques en bois
- seau à champagne (facultatif)
- nappe en tissu et serviettes en papier assorties
- assiettes en carton, couverts en plastique
- verres en verre de préférence
- tasses à café
- papier aluminium
- film plastique alimentaire
- bacs à glaçons
- grande table ou bien tréteaux habillés d'une nappe descendant jusqu'au sol
- guéridons ou petites tables
- cendriers
- vases

- bougies si vous prévoyez votre réception en soirée
- carafes
- paniers en osier

Le choix du menu

Votre choix dépendra d'un certain nombre de facteurs : le coût, le temps dont vous disposez, vos goûts et ceux de vos invités, les ingrédients disponibles selon la saison, etc. Le degré de difficulté peut être également déterminant, mais dans leur ensemble, les recettes sélectionnées dans cet ouvrage sont faciles à réaliser, elles ne demandent ni des compétences particulières ni un matériel sophistiqué.

Le livre est divisé en trois grandes parties : les menus par saison, les recettes de l'étranger et les repas à thème.

En fin d'ouvrage, vous trouverez pages 92-93 d'autres recettes qui peuvent compléter certains menus ; vous-même pouvez, en outre, imaginer d'autres associations et varier vos buffets autant que vous le souhaitez. Vous avez en main, de toute façon, tous les atouts pour réussir une belle réception.

Vous pouvez donc lancer les invitations ! Nul doute que vos amis et votre famille y répondront avec bonheur...

Préparer un cocktail ou un lunch
Les canapés et les bouchées

Les canapés

Supports traditionnels

- pain de mie en fines tranches coupées en diagonale pour obtenir deux triangles
- mini-pains au lait coupés en deux dans le sens horizontal
- crackers
- mini-blinis achetés tout prêts
- pain de campagne coupé en très fines tranches
- petites crêpes au sarrasin
- petits choux non sucrés et coupés en deux
- mini-brioches
- œufs durs coupés en rondelles

Supports plus insolites

- poivrons verts, rouges et jaunes épépinés et coupés en petites barquettes (pour farces de toutes sortes) ou en quartiers
- melons coupés en deux épépinés et évidés (pour contenir soupes froides, boules de glace ou de sorbet, crèmes sucrées, salades de fruits)
- tomates coupées en deux et évidées
- potiron coupé au tiers de sa hauteur et débarrassé de ses graines et filaments (pour soupes, salades, crudités et légumes à la croque au sel, fruits rafraîchis, etc.)
- artichauts débarrassés de leur foin et coupés au tiers de leur hauteur
- fonds d'artichaut frais ou surgelés
- concombre (ou courgette) non pelé, coupé en deux horizontalement et verticalement pour obtenir quatre barquettes individuelles évidées à l'aide d'une petite cuillère, ou coupé en rondelles
- feuilles de romaine, d'endive, etc.
- cœurs de palmier coupés en rondelles
- radis noir épluché et coupé en fines rondelles
- oignons coupés en grosses rondelles

Garnitures

- dés de concombre + menthe hachée + olives noires dénoyautées
- miettes de crabe ou crevettes + mayonnaise + jus de citron + salade verte
- chou blanc en lanières + noix hachées + roquefort émietté
- avocat écrasé + thon émietté + mayonnaise
- rosbif + moutarde + cornichons + salade en lanières
- rollmops + pommes en petites lamelles + oignon haché
- saumon fumé + concombre + crème aigre + aneth
- blanc de poulet + mayonnaise aux herbes
- crevettes décortiquées + œufs de saumon
- tarama + lanières de saumon fumé
- gouda + 1/2 œuf de caille + lanières de poivron rouge
- thon émietté + mayonnaise + câpres
- guacamole + saumon fumé + ciboulette ciselée

Beurres de base

- beurre + ail + sel + poivre
- beurre + fines herbes hachées + sel + poivre
- beurre + crevettes décortiquées et hachées très finement
- beurre + zeste de citron râpé + sel + poivre
- beurre + roquefort + noix écrasées
- beurre + miettes de thon + piment de Cayenne
- beurre + graines de sésame grillées + poivre
- beurre + moutarde de Meaux + sel
- beurre + chair de crabe émiettée + sel + poivre

1. Dans tous les cas, malaxez le beurre mou avec les autres ingrédients. Posez la préparation sur une grande feuille de papier aluminium et formez des boudins ; placez-les au frais pour qu'ils durcissent.

2. Au dernier moment, détaillez les « boudins » de beurre en rondelles.

Ces beurres se dégustent de préférence sur des supports traditionnels, pain de mie en particulier. Ils se congèlent sans problème, et vous pouvez donc les confectionner à l'avance.

Les bouchées

Les boulettes

● boulettes de fromage multicolores
Roulez des boulettes de ricotta, de brousse ou de mozzarella dans du coulis de poivron rouge, des fines herbes, des graines de sésame grillées, du paprika en poudre, du curry, du cumin, etc.
● boulettes à la viande hachée
Malaxez du bifteck haché avec de la mie de pain, de l'ail et de l'oignon hachés, de l'œuf, des herbes fraîches finement ciselées, du piment, du sel et du poivre. Confectionnez des boulettes, faites-les frire dans de l'huile, égouttez-les sur du papier absorbant, puis roulez-les dans les mêmes ingrédients que ceux des boulettes de fromage.

Les brochettes

● cubes de saumon cru + morceaux de pamplemousse pelé à vif, badigeonnés d'huile pimentée
● mini-boules de mozzarella + tomates cerises, badigeonnées d'huile d'olive et parsemées de basilic haché
● pruneaux dénoyautés + morceaux de saucisse fumée

Utilisez de préférence des piques en bois (cure-dents) pour confectionner vos mini-brochettes.

Les roulades

● tranches de viande des Grisons ou de poitrine fumée enroulées sur des pruneaux dénoyautés et maintenues par des piques en bois
● tranches longitudinales de radis noir enroulées sur du tartare de haddock (p. 88) et fermées par des piques en bois

● omelette tartinée de guacamole et recouverte de saumon fumé, enroulée sur elle-même puis découpée en rondelles de 5 mm d'épaisseur

Les fromages

Soignez la présentation de vos plateaux de fromages en les recouvrant de feuilles fraîches ou de papier. Choisissez les fromages selon leur saison de pleine maturité (le vacherin se déguste à la petite cuillère en hiver, par exemple, et avec des poires c'est encore mieux !).

En règle générale, prévoyez au moins cinq sortes de fromages différentes pour que chacun puisse y trouver son bonheur.
● une pâte molle : brie, camembert ou coulommiers
● un ou plusieurs fromages de chèvre : crottins de Chavignol, petits rocamadours, pyramide cendrée, sainte-maure
● une pâte dure : gruyère, comté, cantal, tomme de Savoie
● une pâte persillée : roquefort, bleu de Bresse ou d'Auvergne, morbier
● un fromage fort : livarot, pont-l'évêque, reblochon
● un fromage de saison ou à pâte fraîche : vacherin, demi-sel, fromages frais

Les desserts

L'idéal est de présenter plusieurs desserts, afin que chacun puisse se servir selon ses goûts. Ainsi, vous serez assuré du succès en prévoyant un gâteau ou une tarte aux fruits, un entremets et une glace.

Un assortiment de fruits frais sera toujours le bienvenu : disposez les fruits dans de belles coupes ou dans un panier d'osier. Quelques petits fours frais ou secs, des friandises et des confiseries, des fruits déguisés, des chocolats, particulièrement appréciés avec le café, clôtureront en beauté votre réception et lui apporteront un ultime raffinement.

Les boissons, le bar et les verres

L'apéritif

Plusieurs possibilités s'offrent à vous : ou bien vous optez pour un apéritif unique, une coupe de champagne par exemple, ou bien vous disposez d'un bar bien rempli ! Personnellement, je préfère la première formule, plus simple et toujours très appréciée.

Vous pouvez aussi préparer un ou plusieurs cocktails, sangria ou encore punch, ainsi qu'un mélange de jus de fruits frais pour les personnes qui ne souhaitent pas de boissons alcoolisées.

N'omettez pas l'eau fraîche, plate et gazeuse. Placez toujours les boissons au frais jusqu'au moment où vous les servirez.

Le vin

Si vous avez prévu plusieurs vins pour votre réception, servez toujours les vins légers avant les vins corsés et les vins blancs avant les vins rouges. Simplifiez-vous la vie en ne choisissant que deux vins : un blanc bien frais et un rouge, servis à température ambiante. La qualité des vins que vous choisirez dépendra de vos moyens financiers, certes, mais on trouve chez les petits négociants de très bons vins de pays à des prix plus que raisonnables.

Certains apprécieront aussi de tirer le vin directement du tonneau si vous pouvez vous en procurer un. C'est une présentation sympathique et originale et chacun peut ainsi se servir selon ses envies ! A défaut de tonneau, utilisez si possible de jolies carafes à vin, elles sont de plus très décoratives.

Les quantités

Pour 10 personnes
- 2 bouteilles de champagne (ou de crémant, c'est moins cher et c'est presque aussi bon)
- 1 l de sangria ou de punch
- 2 l de jus de fruits fraîchement exprimés (oranges, pamplemousses, citrons)
- 5 l d'eau plate
- 5 l d'eau gazeuse
- 4 bouteilles de vin blanc
- 4 bouteilles de vin rouge (ou 1 petit tonneau)
- du café et des tisanes
- éventuellement, des digestifs et des liqueurs

Le bar

- whisky, gin, vodka, rhum, porto, liqueur de fruits, anis, etc., sont parmi les exemples les plus courants
- cognac, armagnac, eaux-de-vie « blanches » (poires, framboises, mirabelles), cointreau, curaçao, etc., sont souvent très appréciés

Le choix du vin

Choisissez toujours un ou des vins en parfaite harmonie avec le menu.

Pour les réceptions – un peu sophistiquées –, un mariage par exemple, choisissez du très bon vin tandis que pour les réceptions à la bonne franquette, des petits vins de pays feront parfaitement l'affaire.

Boissons du pays...

Pour les buffets dont le thème est étranger ou régional, servez les boissons typiques du pays.

Le digestif

Bien que cette pratique ne soit pas d'un usage particulièrement courant, il est tout de même agréable de pouvoir offrir à ceux qui le désirent un digestif. Choisissez-le de bonne qualité.

Prévoyez également une liqueur, certains l'apprécieront... « on the rocks ».

Le café, les tisanes

En fin de repas, proposez un café et un décaféiné ainsi que des tisanes, surtout le soir, elles ont aussi leurs adeptes ! Et n'oubliez pas les petits carrés de chocolat amer à servir avec le café...

Décorer et embellir vos plats

Pour décorer et embellir vos plats, quelques ustensiles de cuisine seront indispensables :

● couteaux de cuisine bien aiguisés de tailles différentes
● couteau économe
● couteau à cannelures
● couteau à beurre cannelé
● vide-pomme
● râpe à fromage à trous de divers diamètres et à lames à écartements variables
● zesteur de citron
● dénoyauteur
● couteau-scie
● emporte-pièce de tailles et de formes différentes
● poche à douilles de tailles et de formes différentes

Par ailleurs, certains aliments peuvent être présentés de façon plus esthétique ; ils n'en seront que plus appétissants, le plaisir visuel ajoutant au plaisir gustatif.

Abricots

● en oreillons : coupez les abricots en deux, dénoyautez-les. Plongez les oreillons dans l'eau bouillante pour pouvoir les peler plus facilement. Une fois refroidis, fourrez-les de confiture ou de coulis de fruits frais, de boules de glace, de pâte d'amande, voire de fruits rouges.

Ananas

● en coques : coupez l'ananas en deux dans le sens de la hauteur, en conservant le plumeau. Évidez chaque moitié. Ôtez le bois (partie dure centrale), coupez la pulpe en petits cubes, fai-tes-les macérer dans du kirsch et remettez dans les coques. Vous pouvez également garnir celles-ci d'une salade thaïlandaise aux gambas, mélangée aux dés d'ananas.

● en pirogues : coupez l'ananas en quatre, puis évidez les quartiers à l'aide d'un couteau pointu et bien aiguisé sans sortir la chair de son support, afin de ne pas perdre le jus. Éliminez la partie dure centrale (le bois), puis coupez la pulpe en lamelles dans le sens de la largeur, décalez les lamelles en quinconce et décorez de cerises confites.

Artichauts

● en coques : faites cuire les artichauts dans de l'eau vinaigrée ou citronnée. Égouttez-les et coupez-les aux deux tiers de leur hauteur ; détachez les feuilles extérieures, puis ôtez le foin. Garnissez ensuite de diverses farces, sauce vinaigrette, etc. (voir aussi la recette page 80).

Avocats

● en boules : ouvrez les avocats en deux et dénoyautez-les ; détaillez la chair en petites boules à l'aide d'un dénoyauteur et aspergez de jus de citron pour que la pulpe ne noircisse pas.

● en éventail : ouvrez les avocats en deux et dénoyautez-les ; évidez chaque moitié, avec une cuillère à soupe par exemple, en veillant à ce qu'elle reste entière. Posez les moitiés d'avocat sur une planchette en bois, face bombée au-dessus. Coupez la pulpe en fines lamelles dans le sens de la longueur, puis étalez en éventail.

Beurre

● en copeaux : à l'aide d'un couteau économe, prélevez des copeaux de beurre et plongez-les dans de l'eau glacée.

● en fleurs : sur une grande feuille de papier aluminium, étalez le beurre sur 3 mm d'épaisseur avec un rouleau à pâtisserie. Posez dessus une seconde feuille de papier aluminium, puis placez au réfrigérateur. A l'aide d'un emporte-pièce, découpez huit petites rondelles de beurre et disposez-les en rosace. Plongez-les dans de l'eau glacée jusqu'au moment de servir.

● en tranches ou en boules multicolores : préparez des boudins de beurre aromatisé (voir page 10), puis détaillez-les en fines rondelles ou encore en petites boules à l'aide d'un dénoyauteur et plongez-les dans de l'eau glacée.

Champignons

● en coupelles : nettoyez les champignons de Paris ou les cèpes, ôtez leur pied terreux et passez-les très rapidement sous l'eau fraîche. Essuyez-les et citronnez-les généreusement pour ne pas qu'ils noircissent. Retournez les chapeaux à l'envers et garnissez-les à votre guise.

● en lamelles bicolores : nettoyez les champignons de Paris et ôtez leur pied terreux. Cou-

Décorer et embellir vos plats

pez-les en fines lamelles, roulez-les dans de la poudre de paprika et de la poudre de curry.

Céleri-boule

● en lasagnes : pelez et émincez la boule de céleri en fines tranches, puis faites cuire dans de l'eau bouillante citronnée pendant 7 minutes. Égouttez les tranches, superposez-les dans un plat en alternance avec des couches de farce à la viande, puis faites cuire au four.

● en rubans ou en frites : pelez et coupez la boule de céleri en grosses tranches de 1 cm. Détaillez-les en frites ou, à l'aide d'un couteau économe, émincez-les en longs rubans ; faites cuire à l'eau citronnée.

Citrons, oranges, pamplemousses

● en roses : pelez le zeste des agrumes en un long ruban puis refermez les fruits en les enroulant sur eux-mêmes.

● en spirales : fendez les agrumes, en biais, jusqu'à leur centre puis étalez les tranches, en biseaux, pour former une spirale.

● en zeste : pelez les agrumes en rubans et détaillez-les en fines lanières ; ébouillantez-les, égouttez et servez.

Concombres, courgettes

● en billes : lavez, pelez les légumes et détaillez-les en billes à l'aide d'un dénoyauteur. Plongez-les dans de l'eau bouillante, salée et poivrée. Égouttez et préparez à votre convenance.

● en fins rubans : lavez, séchez et pelez-les à l'aide d'un couteau économe en formant de fines lanières de la taille des tagliatelles.

Préparez les légumes revenus au beurre ou plongés dans un bouillon de volaille. Égouttez et apprêtez selon vos goûts.

Légumes tournés

Préparez ainsi vos carottes, pommes de terre, navets, céleriboule et autres légumes : pelez-les, lavez-les et séchez-les, puis façonnez-les tous en une forme identique (boules, dés...) ; ainsi, ils cuiront pareillement.

Melons

● en coques : coupez les melons en deux et évidez-les. Détaillez leur pulpe en petites boules à l'aide d'un dénoyauteur et emplissez les coques évidées.

● en couronne : coupez les melons en deux, évidez-les. Découpez-les en fines tranches ; à l'aide d'un emporte-pièce, prélevez et jetez la peau. Procédez de même pour les fruits suivants : pommes, pêches, ananas et mangues.

Œufs

● œufs durs : si vous voulez des œufs durs de différentes couleurs, faites-les cuire dans de l'eau bouillante additionnée de cubes de betterave rouge crue, ou de pelures d'oignons, ou d'épinards crus et de zeste de citron ; écalez-les et servez-les tels ; éventuellement, coupez-les en rondelles ou en quartiers.

Poissons

Choisissez des poissons aux chairs de couleurs différentes pour agrémenter votre présentation ; du saumon ou de la truite saumonée accompagné de dorade, bar ou filets de sole, par exemple.

● en roulades : émincez les filets en fines tranches et roulez-les sur elles-mêmes ; « natures » ou farcies d'une mousseline de poisson ; fermez à l'aide d'une pique en bois. Cuisez-les dans un fond de bouillon de légumes.

● en tresses : détaillez des filets de poissons aux chairs de couleurs différentes en longues lanières ; tressez celles-ci. Cuisez ces tresses au four.

Pommes de terre

● gratin de pommes de terre : plutôt que d'étaler les rondelles de pommes de terre entières au fond du plat à gratin, coupez les rondelles en deux et formez des « écailles » en les disposant les unes sur les autres. Cette préparation convient également pour tous les légumes à gratin (courgettes, aubergines, céleri-boule).

Tomates

● en champignons : découpez les tomates en leur donnant une forme de champignon de Paris.

● en panier : coupez les tomates en deux, évidez-les et remplissez les moitiés de la garniture de votre choix.

● en pétales : coupez les tomates en rondelles et disposez celles-ci en formant une fleur.

Pique-nique
Pour 6 personnes

Omelette au saumon fumé

8 œufs
100 g de saumon fumé en tranches
Le jus de 1/2 citron
50 g de beurre mou
100 g de crème fraîche
2 cuillerées à soupe de persil haché
Sel, poivre

Temps de préparation : 10 mn.

1. Battez les œufs en omelette légère ; ajoutez-y la moitié du beurre, la crème fraîche, le persil, le sel et le poivre. Mélangez bien.

2. Faites fondre le reste du beurre dans une grande poêle, versez-y la préparation et laissez-la « prendre » pendant 3 à 4 minutes. Laissez refroidir à température ambiante.

3. Faites glisser l'omelette sur une grande feuille de papier aluminium ; étalez dessus les tranches de saumon fumé et aspergez de jus de citron. Enroulez l'omelette sur elle-même, puis enveloppez dans un film plastique alimentaire ; placez au frais jusqu'au dernier moment.

4. Découpez l'omelette en tranches épaisses et dégustez-la avec du pain de campagne.

Pan-bagnat

6 petits pains ronds
1 grosse gousse d'ail
2 cuillerées à soupe d'huile d'olive
3 œufs durs
200 g de haricots verts frais ou en boîte
200 g de cœurs d'artichaut
Quelques olives noires dénoyautées
1 petite boîte de thon à l'huile
3 belles tomates - 1 poivron vert
6 anchois
6 feuilles de basilic - Sel, poivre

Temps de préparation : 15 mn.

1. Coupez les petits pains dans le sens horizontal et au tiers de leur hauteur ; ôtez l'essentiel de la mie contenue dans le gros morceau. Pelez la gousse d'ail, coupez-la en deux, puis frottez la base et le chapeau des petits pains. Humectez d'huile d'olive, salez, poivrez et refermez les petits pains.

2. Préparez tous les ingrédients : écalez les œufs et coupez-les en fines rondelles. Faites cuire les haricots verts et les cœurs d'artichaut s'ils sont frais ou surgelés. Égouttez-les, séchez-les sur du papier absorbant et coupez-les en morceaux. Lavez et séchez les tomates, coupez-les en morceaux. Lavez et essuyez le poivron, ouvrez-le, épépinez-le soigneusement et coupez-le en lanières.

3. Fourrez les petits pains avec tous les ingrédients, y compris les olives, le thon égoutté, les anchois et les feuilles de basilic finement ciselées ; refermez-les et enveloppez-les dans du papier aluminium pour les transporter.

Jambon de Parme au melon et au fromage aux herbes

6 petits melons
6 tranches de jambon de Parme ultra-fines
Fromage aux herbes
2 cuillerées à soupe d'herbes fraîches hachées (basilic, ciboulette, estragon, cerfeuil, etc.)
1/2 gousse d'ail
200 g de fromage blanc type ricotta ou mascarpone
2 cuillerées à soupe d'huile d'olive
1 cuillerée à soupe de tapenade (olives noires écrasées)
Sel, poivre

Temps de préparation : 15 mn.

1. Dans le bol d'un mixer, mettez les herbes, l'ail pelé, le fromage blanc, l'huile d'olive, la tapenade, le sel et le poivre ; réduisez en fine purée. Versez la préparation dans un récipient creux, couvrez-la et placez-la au frais dans la glacière pour le transport.

2. Coupez les melons en deux au tiers de leur hauteur et ôtez les graines. Détaillez la chair en petites billes, placez-les dans les coques de melon et reposez le chapeau. Mettez au frais dans la glacière.

3. Au moment de servir, versez les billes de melon dans un grand plat creux et disposez les tranches de jambon de Parme. Formez des boulettes de fromage blanc à l'aide de deux petites cuillères à café et répartissez-les entre les boules de melon.

Pêches gratinées

6 pêches
80 g de beurre mou
80 g d'amandes en poudre
1 blanc d'œuf
40 g de cassonade

Temps de préparation : 55 mn.

1. Beurrez un moule à manqué. Préchauffez le four (th. 5).

2. Dans une terrine, mélangez le beurre, les amandes en poudre, le blanc d'œuf et la cassonade, jusqu'à obtenir une pâte bien homogène.

3. Pelez les pêches, coupez-les en deux et dénoyautez-les. Déposez dans chaque creux une noisette de pâte aux amandes, puis rangez les demi-pêches dans le moule. Enfournez pendant 40 minutes.

4. Sortez les demi-pêches du four, laissez-les tiédir, puis enveloppez-les individuellement dans du papier aluminium ou recouvrez le moule d'un film plastique alimentaire pour le transport.

Notre conseil

S'il vous reste de la pâte aux amandes, étalez-la en petits rectangles et faites cuire en même temps que les pêches – vous obtiendrez des financiers.

Buffet de printemps
Pour 6 personnes

Amuse-bouche

Profitez de l'abondance des légumes nouveaux sur les marchés pour préparer des amuse-bouche originaux ; tartinez des rondelles ou des bâtonnets de radis noir, concombre, tomate, courgette, poivron ou œuf dur de tapenade, crème d'anchois, sauce au pistou, coulis de tomate à la provençale, tarama, aïoli, fromage blanc, etc. Décorez avec des olives, herbes de Provence, anchois, amandes effilées, cerneaux de noix, etc.

Feuilletés à la feta

(4 feuilletés par personne)
80 g de beurre fondu
150 g de feta
2 cuillerées à soupe de persil plat haché
1 cuillerée à soupe de coriandre hachée ou de cerfeuil haché
1 jaune d'œuf
1 cuillerée à soupe d'huile d'olive
Poivre du moulin
6 feuilles de brick achetées toutes prêtes
3 cuillerées à soupe d'huile d'olive

Temps de préparation : 35 mn.

1. Préchauffez le four (th. 6). Écrasez la feta avec une fourchette, puis incorporez les herbes, le jaune d'œuf, 2 cuillerées à soupe d'huile d'olive. Donnez quelques tours de moulin à poivre et mélangez soigneusement le tout pour obtenir une préparation homogène – au besoin, rajoutez un peu d'huile d'olive.

2. Étalez les feuilles de brick et découpez-y des rectangles de 6 cm × 18 cm. A l'aide d'un pinceau, badigeonnez les 24 rectangles et les chutes de beurre fondu.

3. Placez 2 cuillerées à soupe de farce à l'une des extrémités de chaque rectangle, puis repliez celui-ci sur lui-même en prenant pour base son petit côté (6 cm) ; pliez-le cinq fois en tout : vous obtenez des triangles bien soudés.

4. Avec les chutes de brick et le reste de farce, confectionnez des petits rouleaux ; sinon, servez-vous des chutes pour enfermer encore les petits triangles, qui seront d'autant plus croustillants. Badigeonnez les feuilletés de beurre sur les deux faces.

5. Posez les feuilletés sur une plaque à pâtisserie graissée avec un peu d'huile d'olive. Placez-la dans le four et laissez dorer pendant 10 à 15 minutes.

Assiette anglaise

Présentez quelques belles tranches de viandes froides (rôti de bœuf, rôti de veau et gigot par exemple) accompagnées de légumes frais tels ceux que nous suggérons en amuse-bouche.

Disposez aussi des coupelles avec des petits cornichons, des fleurs de courgettes, des oignons, des olives vertes et noires dénoyautées.

Vous pouvez également prévoir de la salade, frisée, scarole ou trévise, présentée en feuilles, à croquer avec ou sans assaisonnement.

Préparez une sauce mayonnaise aux fines herbes et servez-la avec les viandes froides, les légumes et la salade, en plus de la sauce aux avocats.

Sauce aux avocats

2 avocats bien mûrs
Le jus d'un citron vert
125 g de fromage blanc

Temps de préparation : 10 mn.

1. Pelez les avocats, découpez la pulpe en morceaux.

2. Mélangez dans le bol d'un mixer les morceaux d'avocat et le jus de citron ; actionnez l'appareil. Ajoutez à cette purée le fromage blanc. Servez très frais.

Gâteau au yaourt

200 g de farine
1 sachet de levure chimique
3 œufs
175 g de sucre ou de miel
50 cl de yaourt entier (2 ou 3 pots de yaourt)
10 g de beurre
Le jus de 1 citron
Le zeste de 1/2 citron - Sel

Temps de préparation : 1 h 15 mn.

1. Réservez 1 cuillerée à soupe de farine et mélangez le reste avec la levure et 1 pincée de sel.

2. Cassez les œufs en séparant les blancs des jaunes. Dans un saladier, battez les jaunes avec la moitié du sucre ou du miel jusqu'à ce que le mélange blanchisse et devienne mousseux. Dans un autre saladier, fouettez les blancs en neige légère ; incorporez très délicatement le yaourt. Mélangez soigneusement le contenu des deux saladiers en soulevant la préparation pour ne pas la casser. Préchauffez le four (th. 5).

3. Beurrez un grand moule à gâteau et saupoudrez-le de farine réservée. Versez la farine en fine pluie sur le mélange crémeux ; remuez avec précaution à l'aide d'une spatule en bois pour former une pâte homogène. Versez la préparation dans le moule et enfournez pendant 45 minutes environ.

4. Détaillez le zeste de citron en très fines lanières ou râpez-le ; blanchissez-le rapidement dans de l'eau bouillante.

5. Dans une petite casserole, mettez le jus de citron et le reste de sucre ou de miel. Incorporez le zeste de citron et faites chauffer sur feu doux. Si le sirop est trop épais, ajoutez 1 ou 2 cuillerées à soupe d'eau.

6. Lorsque le gâteau est cuit, sortez-le du four (il doit être doré et moelleux au toucher), arrosez-le de sirop, nappez avec le dos d'une cuillère et laissez refroidir. Vous pouvez l'accompagner de confitures.

Buffet de printemps
Pour 6 personnes

Petits flans aux asperges vertes

500 g de petites asperges vertes
1 cuillerée à soupe d'huile d'olive
1 gousse d'ail
4 œufs
150 g de crème fraîche
30 g de beurre
Noix muscade - Sel, poivre

Temps de préparation : 45 mn.

1. Ne pelez les asperges que si cela est nécessaire ; sinon, lavez-les soigneusement, coupez leurs pieds, séchez-les et détaillez-les en tronçons de 3 à 4 cm de long. Pelez et hachez l'ail.

2. Dans une grande casserole, faites chauffer l'huile et mettez-y à revenir les asperges avec l'ail, jusqu'à ce qu'elles deviennent tendres. Retirez la casserole du feu et laissez refroidir. Préchauffez le four (th. 5).

3. Cassez les œufs dans un saladier et versez-y la crème fraîche ; salez, poivrez, muscadez et fouettez vigoureusement. Lorsque le mélange mousse légèrement, ajoutez les asperges.

4. Préparez un bain-marie d'eau bien chaude. Beurrez 6 ramequins et répartissez-y la préparation ; posez-les délicatement dans le récipient de cuisson, puis enfournez et laissez cuire une bonne quinzaine de minutes — cela dépend de la taille des moules.

5. Sortez le plat du four, retirez les petits flans, laissez-les tiédir et démoulez-les en prenant soin de ne pas les casser.

Notre conseil
Vous pouvez réaliser la même recette avec des poireaux, des fleurs de brocolis, du chou-fleur, des lardons, des crevettes décortiquées, des petites langoustines, des moules, etc.

Roulade d'agneau

1 oignon
1 bouquet de persil
600 g de viande d'agneau (épaule, gigot, selle, etc.)
200 g de viande de veau (quasi, épaule, etc.)
4 œufs durs - 1 œuf cru
1 cuillerée à café de coriandre
1 cuillerée à café de cumin
1 cuillerée à café de cannelle
4 cuillerées à soupe de chapelure
2 cuillerées à soupe d'huile d'olive
3 cuillerées à soupe de farine
Sel, poivre

Temps de préparation : 1 h 30 mn.

1. Demandez à votre boucher de hacher les viandes. Pelez et hachez l'oignon. Lavez et ciselez le persil.

2. Dans le bol d'un robot électrique, mettez l'oignon et la moitié du persil ; actionnez l'appareil quelques instants, puis ajoutez les viandes hachées, l'œuf cru, les épices et la chapelure ; réduisez en fine purée. Salez et poivrez.

3. Écalez les œufs durs et laissez-les en attente. Huilez un long moule à terrine de 30 × 6 × 8 cm.

4. Recouvrez la surface de travail de farine. Posez dessus la préparation de viande : si elle est un peu ferme, formez une boule et aplatissez-la au rouleau à pâtisserie ; si elle est un peu molle, poudrez-la de farine avant de l'aplatir au rouleau. Façonnez cette pâte en un grand rectangle de la longueur du moule ; posez dessus les œufs durs entiers et enroulez-les tout fermement. Préchauffez le four (th. 5).

5. Soulevez le rouleau de pâte et faites-le glisser dans le moule. Enfournez pendant 1 heure environ.

6. Sortez la roulade du four, laissez-la refroidir, puis démoulez-la, après avoir décollé les parois avec la lame d'un couteau. Présentez-la découpée en tranches, saupoudrée du reste de persil.

Crèmes au miel

1 l de crème fraîche liquide
1 gousse de vanille
Le zeste de 1 citron en fines lanières
3 feuilles de gélatine
250 g de miel de lavande ou de pin maritime

A préparer la veille.

Temps de préparation : 25 à 30 mn.

1. Faites chauffer la moitié de la crème fraîche avec la gousse de vanille fendue en deux, 3 cuillerées à soupe de miel et le zeste de citron. Laissez mijoter pendant 5 minutes environ, à petits bouillons. Éteignez, couvrez et laissez infuser encore 5 minutes, puis retirez la gousse de vanille et le zeste de citron.

2. Dans de l'eau tiède, mettez la gélatine à ramollir, puis égouttez-la et pressez-la entre vos doigts pour bien en extraire toute l'eau. Ajoutez-la à la crème, remuez et laissez refroidir.

3. Mélangez le reste de crème fraîche avec 1 cuillerée à soupe de miel ; battez en chantilly. Ajoutez délicatement la crème cuite en soulevant doucement la préparation.

4. Humidifiez 6 petits ramequins individuels avec de l'eau bien froide, puis garnissez-les de la préparation. Placez-les au réfrigérateur pour 24 heures.

5. Au moment de servir, faites chauffer le reste du miel dans une petite casserole ; laissez-le tiédir. Démoulez les crèmes en les retournant sur des petites assiettes à dessert et nappez-les de miel. Décorez d'une branche de lavande ou de quelques aiguilles de pins.

Notre conseil
Accompagnez de petits fours secs ou de fruits frais coupés en morceaux ou grossièrement mixés.

Buffet d'été
Pour 6 à 8 personnes

Pains aux olives

300 g de pâte à pain à acheter chez le boulanger

100 g d'olives noires et vertes

2 cuillerées à soupe d'huile d'olive

A préparer la veille.

Temps de préparation : 25 mn.

1. Hachez les olives et mélangez-les à la pâte à pain. Laissez reposer 24 heures au réfrigérateur.

2. Façonnez des petits pains individuels dans la pâte ; laissez-les lever pendant 1 heure à température ambiante. Préchauffez le four (th. 6).

3. Faites deux entailles sur le dos de chacun des pains, badigeonnez légèrement ces derniers d'huile d'olive et enfournez-les pendant 10 minutes. Laissez refroidir avant de servir.

Notre conseil
Vous pouvez ne confectionner qu'un seul gros pain aux olives, puis le couper en tranches assez fines après qu'il a refroidi.

Caviar d'aubergine

2 aubergines

2 tomates bien mûres

1 échalote

1 petit verre d'huile d'olive vierge extra

1/2 gousse d'ail

2 tiges de persil plat effeuillées et hachées

Sel, poivre

Temps de préparation : 20 mn.

1. Préchauffez le four (th. 6). Placez-y les aubergines et retournez-les régulièrement jusqu'à ce que toute leur peau soit légèrement boursouflée (environ 7 minutes).

2. Ébouillantez les tomates, pelez-les et épépinez-les. Pelez les aubergines et coupez leur chair en cubes.

3. Placez les cubes d'aubergine, les tomates, l'échalote et l'ail pelés, du sel et du poivre dans un mixer. Actionnez l'appareil quelques instants, puis ajoutez progressivement l'huile d'olive en continuant à mixer.

4. Versez la préparation dans un grand bol et saupoudrez de persil haché avant de servir.

Salade d'avocat

2 avocats

2 tomates

100 g de crevettes roses décortiquées

3 cuillerées à café de jus de citron

2 cuillerées à soupe d'huile d'olive vierge extra

1 brin de coriandre haché

Sel, poivre

Temps de préparation : 15 mn.

1. Ouvrez les avocats en deux, dénoyautez-les et évidez-les ; coupez la chair en petits dés. Aspergez-les immédiatement de jus de citron pour ne pas qu'ils noircissent.

2. Ébouillantez les tomates, pelez-les, épépinez-les et coupez-les en dés.

3. Mélangez les dés de tomate et d'avocat, ainsi que les crevettes ; versez l'huile d'olive, salez, poivrez et remuez. Saupoudrez de coriandre hachée avant de servir.

Pizza express

5 tomates

2 oignons

2 tranches de jambon coupées en morceaux

50 g d'emmenthal râpé

1 cuillerée à soupe d'huile

Olives et/ou anchois (facultatif)

1 rouleau de pâte à pizza achetée surgelée

Sel, poivre

Temps de préparation : 30 mn.

1. Ébouillantez les tomates, pelez-les, épépinez-les et coupez-les en petits cubes. Émincez les oignons.

2. Versez l'huile dans une poêle anti-adhésive ; ajoutez les lamelles d'oignon et les tomates, puis laissez cuire sur feu moyen quelques minutes, jusqu'à obtenir une purée épaisse. Préchauffez le four (th. 5).

3. Versez la préparation dans un plat. Ajoutez le jambon, le fromage râpé, du sel et du poivre.

4. Abaissez la pâte à pizza en un cercle de 26 cm de diamètre et passez-la au four quelques minutes. Étalez dessus la préparation, puis placez sous le gril du four jusqu'à ce que la pâte soit cuite.

5. Décorez avec des filets d'anchois et des demi-olives.

Délice aux fruits

100 g de framboises

Le jus de 1 citron

10 cl de crème fraîche

6 boules de glace à la vanille

2 pêches - 1 kiwi

50 g de groseilles

100 g de fraises

6 feuilles de menthe

Temps de préparation : 20 mn.

1. Placez les framboises dans le bol du mixer ; ajoutez le jus du citron et la crème fraîche, puis actionnez l'appareil jusqu'à obtenir une crème homogène.

2. Pelez les pêches, coupez-les en quatre, puis détaillez-les en fines lamelles. Pelez le kiwi et coupez-le en fines rondelles. Équeutez les fraises et égrappez les groseilles.

3. Disposez dans chaque assiette une boule de glace, garnissez avec tous les fruits, arrosez de crème à la framboise et décorez de menthe.

Une recette de plus
Satsiki, page 93.

Buffet d'été
Pour 6 à 8 personnes

Terrine de lapin

1 beau lapin très soigneusement désossé par votre boucher

1 verre à liqueur de cognac

6 branches d'estragon frais

12 noisettes fraîches décortiquées

*Bardes de lard
ou crépinette coupée en bandes
de 4 cm de large*

Sel, poivre

Pour la farce

*300 g de viandes blanches en mélange
(volaille, porc, veau, lard maigre, etc.)
hachées par votre boucher*

2 cuillerées à soupe d'estragon

2 cuillerées à soupe de persil haché

1 œuf entier - Sel, poivre

A préparer 1 ou 2 jours à l'avance.
Temps de préparation : 1 h 30 mn.

1. Préparez la marinade : dans un grand récipient creux, mettez le cognac, l'estragon, les noisettes, du sel et du poivre. Ajoutez les morceaux de lapin désossé, les rognons et le foie. Couvrez et laissez mariner 2 à 3 heures en remuant de temps à autre.

2. Pendant ce temps, préparez la farce : mélangez les viandes, les herbes et l'œuf entier ; salez et poivrez.

3. Préchauffez le four (th. 5). Dans une terrine de belle taille, étalez les bardes de lard ou la crépinette. Égouttez les morceaux de lapin et conservez leur marinade.

4. Disposez des morceaux de lapin dans la terrine, couvrez d'un peu de farce, remettez des morceaux de lapin et ainsi de suite en terminant par une couche de lapin. Recouvrez de bardes de lard ou de crépinette. Placez le couvercle sur la terrine et mettez-la à cuire au four (th. 5/6), au bain-marie (dans un plat rempli d'eau chaude), pendant 1 heure à 1 h 15 mn.

5. Lorsque la terrine est cuite, sortez-la du four et laissez-la refroidir. Placez un poids dessus et laissez-la reposer un ou deux jours.

Omelette à la tomate

Pour le coulis de tomate

1 kg de tomates mûres mais fermes

2 cuillerées à soupe d'huile d'olive

2 oignons - 2 gousses d'ail

Persil, basilic, thym

1 morceau de sucre - Sel, poivre

Pour l'omelette

12 œufs - Sel, poivre

*2 cuillerées à soupe d'huile d'olive
vierge extra*

Temps de préparation : 30 mn.

1. Préparez le coulis de tomate : ébouillantez les tomates, pelez-les, épépinez-les et coupez-les en morceaux. Pelez et hachez séparément l'ail et les oignons. Ciselez le persil et le basilic ; émiettez le thym.

2. Faites chauffer 2 cuillerées à soupe d'huile d'olive dans une sauteuse et mettez-y à revenir les oignons ; lorsqu'ils deviennent translucides, ajoutez les tomates, l'ail, les herbes, le morceau de sucre, du sel et du poivre ; couvrez et laissez mijoter tout doucement, en remuant souvent pour ne pas que le coulis attache dans le fond de la sauteuse.

3. Au bout de 2 heures environ, lorsque le coulis a bien réduit et a pris la consistance d'une crème épaisse, ôtez le couvercle et laissez réduire encore un peu. Éteignez le feu et laissez tiédir en continuant à remuer régulièrement pour éviter qu'une peau se forme à la surface.

4. Lorsque le coulis est prêt, préparez l'omelette : battez légèrement les œufs avec du sel et du poivre, sans les faire mousser. Ajoutez le coulis de tomate en fouettant doucement avec une fourchette (il n'est pas nécessaire d'utiliser un fouet ; si, à certains endroits, la préparation est plus épaisse, cela n'en sera que meilleur !).

5. Dans une poêle à fond épais et à bord haut munie d'un couvercle, faites chauffer le reste d'huile d'olive sur feu modéré ; versez-y délicatement la préparation. Couvrez et laissez cuire pendant 4 à 5 minutes d'un côté. Hors du feu, faites glisser l'omelette sur un grand plat creux ; replacez la poêle sur le feu et faites-y glisser l'omelette sur l'autre face ; couvrez et laissez cuire à nouveau 4 à 5 minutes. Elle doit être dorée à l'extérieur mais moelleuse à l'intérieur.

6. Lorsque l'omelette est cuite, faites-la glisser sur un plat de service et laissez-la refroidir. Au moment de servir, découpez-la en portions.

Biscuit au citron

2 œufs

10 cuillerées à soupe de farine

*6 cuillerées à soupe de sucre
en poudre*

*6 cuillerées à soupe de lait
ou 4 cuillerées à soupe
de crème fraîche liquide*

6 cuillerées à soupe de beurre fondu

1 cuillerée à soupe de beurre

1 paquet de levure

Le zeste de 2 citrons

Le jus de 1 citron

Temps de préparation : 35 mn.

1. Dans une terrine, mélangez la farine, la levure, le sucre, le lait ou la crème fraîche, le beurre fondu et le zeste râpé des citrons. Préchauffez le four (th. 5).

2. Beurrez largement un moule à manqué et versez-y la préparation. Enfournez une vingtaine de minutes.

3. Lorsque le biscuit est cuit, sortez-le du four et aspergez-le du jus de citron. Laissez tiédir.

4. Démoulez le biscuit à l'envers et placez-le sur un plat de service. Au moment de servir, découpez-le en parts individuelles.

Notre conseil
Servez ce délicieux biscuit avec du miel d'acacia liquide.

Buffet d'automne
Pour 8 personnes

Figues fraîches au jambon de Parme

8 figues fraîches mûres mais fermes

8 très fines tranches de jambon de Parme

Temps de préparation : 10 mn.

Coupez les figues en quatre et le jambon en lanières. Entourez chaque quartier de figue d'une lanière de jambon de Parme et piquez avec un cure-dent. Disposez sur un plat de service.

Salade MCB

200 g de mâche

2 branches de céleri

1 betterave cuite

8 cerneaux de noix

Pour la vinaigrette

1 cuillerée à café de moutarde

2 cuillerées à soupe de vinaigre de cidre

6 cuillerées à soupe d'huile de noix

2 cuillerées à soupe de persil haché

Sel, poivre

Temps de préparation : 10 mn.

1. Rincez rapidement la mâche et égouttez-la soigneusement. Avec un couteau économe, pelez les branches de céleri. Aspergez-les immédiatement de jus de citron. Coupez le céleri en petits tronçons. Pelez la betterave et coupez-la en fines tranches. Concassez grossièrement les cerneaux de noix.

2. Préparez la vinaigrette : dans un grand saladier, mélangez la moutarde et le vinaigre, émulsionnez avec l'huile, salez, poivrez, ajoutez le persil et émulsionnez de nouveau.

3. Dans le saladier, versez la mâche puis le céleri, la betterave et les noix. Mélangez bien.

Notre conseil

Plutôt que d'utiliser du céleri en branche, essayez avec du céleri-boule coupé en dés !

Pâté de lièvre

1/2 lièvre coupé en morceaux et désossé (râble et cuisses)

200 g de porc dans l'échine

200 g de veau dans le quasi

200 g de lard gras

Bardes de lard (ou crépinette)

Sel, poivre

Pour la marinade

2 verres de vin blanc sec

2 cuillerées à soupe de cognac ou d'armagnac

2 cuillerées à café de thym émietté

Baies de genièvre

A préparer 2 ou 3 jours à l'avance.

Temps de préparation : 4 h.

1. Coupez toutes les viandes en morceaux de même taille.

2. Préparez la marinade en mélangeant tous les ingrédients dans une grande jatte ; placez-y toutes les viandes, qui doivent être entièrement immergées. Couvrez et laissez mariner pendant 24 heures en retournant de temps à autre.

3. Le lendemain, chemisez une grande terrine en terre cuite de bardes de lard (ou de crépinette), en les faisant dépasser largement des bords. Préchauffez le four (th. 5).

4. Égouttez les viandes et hachez-les grossièrement, en laissant quelques morceaux entiers. Salez, poivrez généreusement. Répartissez cette viande sur les bardes de lard, puis posez-y les morceaux entiers et terminez par une couche de viande hachée. Rabattez les bords des bardes sur la terrine, posez le couvercle et faites cuire au four, au bain-marie pendant 2 à 3 heures. Surveillez la cuisson et ajoutez de l'eau chaude dans le bain-marie au fur et à mesure qu'elle s'évapore.

5. Sortez la terrine du four et retirez le couvercle. Posez une planche sur la terrine et placez un poids de 1 kg dessus. Laissez refroidir.

6. Le lendemain ou, mieux encore, quelques jours plus tard, la terrine est prête à être consommée.

Clafoutis aux griottines

1 bocal de 500 g de griottines ou 750 g de cerises noires

3 cuillerées à soupe de liqueur de griottine

200 g de farine

1 l de lait - 5 œufs

30 g de beurre

200 g de sucre en poudre

1 gousse de vanille

Temps de préparation : 50 mn.

1. Dans un grand saladier, versez le sucre en poudre ; cassez les œufs un à un, en remuant avec une spatule en bois. Lorsque le mélange est bien homogène, ajoutez la farine tamisée en pluie fine et la liqueur de griottine. Mélangez bien le tout.

2. Portez le lait à ébullition et plongez-y la gousse de vanille coupée en deux dans sa longueur. Retirez du feu et laissez infuser la vanille le temps que le lait refroidisse un peu. Ôtez ensuite la gousse de vanille (vous pouvez la rincer à l'eau fraîche, l'essuyer et l'utiliser pour autre chose, parfumer un bocal de sucre, par exemple).

3. Versez le lait sur la préparation précédente et délayez bien.

4. Préchauffez le four (th. 6). Beurrez un grand moule à manqué, garnissez le fond avec les griottines et recouvrez avec la préparation au lait.

5. Placez le moule à manqué dans le four et laissez cuire pendant 30 minutes environ : le clafoutis doit être légèrement doré sur le dessus et encore moelleux à l'intérieur. Servez-le tiède ou froid, découpé en portions individuelles.

Une recette de plus

Cèpes à l'huile d'olive, page 93.

Buffet d'automne
Pour 8 personnes

Croustades aux champignons

| 250 g de champignons de Paris, pelés et coupés en lamelles |
| 100 g de crème fraîche |
| 8 tranches de pain de mie (ou croustades achetées toutes prêtes) |
| Sel, poivre |

Temps de préparation : 15 mn.

Dans une poêle anti-adhésive sur feu doux, faites étuver les champignons sans matière grasse. Jetez l'eau rendue, salez, poivrez, puis ajoutez la crème. Étalez cette préparation sur les tranches de pain de mie grillées ou farcissez-en de petites croustades. Servez chaud de préférence.

Pâté de foies de volaille

| 250 g de foies de volaille (poulet et canard) sans fiel ni membrane |
| 2 oignons |
| 20 g de beurre - 2 œufs |
| 1 tranche de pain de mie rassis |
| 1/2 verre de lait |
| 2 cuillerées à soupe de crème fraîche épaisse |
| 1 pincée de noix muscade |
| Sel, poivre |

A préparer 1 ou 2 jours à l'avance.
Temps de préparation : 20 mn.

1. Pelez et hachez les oignons. Faites fondre le beurre dans une grande poêle et faites-y revenir les oignons ; lorsqu'ils sont translucides, ajoutez les foies de volaille, puis cassez les œufs dessus et couvrez. Laissez cuire sur feu doux pendant 5 minutes sans remuer.

2. Retirez la croûte de la tranche de pain et faites tremper la mie dans le lait ; essorez avec les doigts.

3. Dans le bol d'un robot électrique, versez le contenu de la poêle, ajoutez la mie essorée, la crème

fraîche, du sel, du poivre et la noix muscade. Actionnez l'appareil jusqu'à obtenir une pâte homogène.

4. Versez la préparation dans un plat en terre cuite assez profond. Placez au réfrigérateur pour 24 heures au minimum.

Notre conseil

Ce pâté, originaire d'Europe de l'Est, est particulièrement délicieux sur des tranches de pain de campagne légèrement grillées ou avec du pain au cumin.

« Fausses » quiches lorraines

| Pour 8 moules individuels anti-adhésifs |
| 130 g de farine - 1 dl de lait |
| 1 dl d'eau - 2 œufs |
| 100 g de jambon de Paris détaillé en petits dés |
| 50 g d'emmenthal râpé |
| 2 cuillerées à soupe d'huile d'arachide |
| Sel, poivre |

Temps de préparation : 30 mn.

1. Mélangez soigneusement la farine, le lait, l'eau et les œufs. Salez et poivrez. Huilez légèrement les moules, garnissez-les de jambon et de fromage, puis couvrez de pâte. Préchauffez le four (th. 6).

2. Enfournez les petites quiches pendant 20 minutes. La pâte doit gonfler, se boursoufler et prendre une jolie couleur dorée.

Notre conseil

Ajoutez à ce buffet de belles assiettes de charcuteries, des cornichons, des pickles, avec du pain de campagne et du beurre doux et demi-sel. Préparez quelques feuilles de salade verte, avec une vinaigrette servie à part.

Fondant aux marrons

| 1 grosse boîte (4/4) de purée de marron (ou 1/2 boîte de purée de marron et 1/2 boîte de crème de marron) |
| 125 g de beurre mou |
| 250 g de crème fraîche épaisse |
| 30 g de sucre semoule |
| 1 sachet de sucre vanillé |
| Quelques débris de marrons glacés |
| 1 dl de rhum |
| 1 cuillerée à soupe d'huile |
| 6 marrons glacés entiers |

A préparer la veille.
Temps de préparation : 35 mn.

1. Mettez les débris de marrons à macérer dans le rhum.

2. Travaillez la purée de marron avec le beurre jusqu'à obtention d'un mélange bien homogène.

3. Mélangez la crème fraîche avec 30 g de sucre et le sucre vanillé ; montez en chantilly assez épaisse.

4. Égouttez les débris de marrons et ajoutez-les à la purée de marron ; incorporez délicatement les deux tiers de la chantilly, en soulevant la masse pour ne pas la casser.

5. Huilez légèrement un moule à parfait et versez-y la préparation ; posez le couvercle du moule et placez ce dernier dans le réfrigérateur pendant 8 heures au minimum, le temps que le fondant durcisse. Réservez au frais le reste de chantilly et les marrons glacés entiers.

6. Au moment de servir, démoulez le fondant, coupez-le en tranches assez épaisses et répartissez sur des assiettes à dessert. A l'aide d'une douille à pâtisserie, décorez les tranches avec le reste de chantilly et 1 marron glacé entier.

Une recette de plus
Cèpes à l'huile d'olive, page 93.

Buffet d'hiver
Pour 6 personnes

Petits choux et gougères

Pour une vingtaine de choux
(soit 400 g de pâte,
3 à 4 choux par personne)

60 g de lait - 60 g d'eau
50 g de beurre
1/2 cuillerée à café de sel
70 g de farine - 3 œufs
1 cuillerée à soupe d'huile

Temps de préparation : 25 mn.

1. Dans une grande casserole, mettez le lait, l'eau, le beurre et le sel. Faites chauffer doucement et, au premier bouillon, ôtez la casserole du feu ; versez rapidement la farine en pluie, en tournant avec une spatule en bois. Replacez la casserole sur le feu et continuez à tourner pour dessécher la pâte.

2. Hors du feu, incorporez les œufs un par un, en fouettant entre chaque œuf pour obtenir une pâte homogène. Ne travaillez pas la pâte longtemps, elle perdrait de son élasticité. Préchauffez le four (th. 6).

3. Huilez légèrement la plaque du four. À l'aide d'une cuillère ou d'une poche à douille, formez des petits tas sur la plaque du four et enfournez 20 à 30 minutes.

Vous obtiendrez des gougères en ajoutant à la pâte, avant cuisson, divers ingrédients.

Gougères au fromage

400 g de pâte + 150 g d'emmenthal
râpé + noix muscade ;
400 g de pâte + 100 g de roquefort
ou de bleu émietté + crème fraîche.

Gougères au poisson

400 g de pâte + 200 g de poisson cuit
émietté + paprika + persil haché ;
400 g de pâte + 200 g de tarama.

Gougères au jambon

400 g de pâte + 150 g de jambon
blanc et de jambon cru finement
haché.

Buffet de fruits de mer

C'est la pleine saison des fruits de mer ! Profitez-en pour en réaliser le plat principal d'un buffet d'hiver. Bien sûr, il faudra faire ouvrir tous les mollusques et les détacher pour que chacun puisse se servir avec un bâtonnet en bois.

24 huîtres
24 praires crues
24 crevettes roses et grises disposées en buissons
12 langoustines en buisson
12 moules crues
500 g de bulots, bigorneaux, présentés avec des bouchons piqués d'aiguilles à coudre
Assortiment de poissons fumés (truite - maquereau - flétan - saumon) + crème fraîche
6 pinces de crabe décortiquées (à acheter toutes prêtes)

Tous ces fruits de mer seront disposés sur un lit d'algues pour les maintenir bien frais. Présentez également des quartiers de citron et du vinaigre à l'échalote, du pain de seigle prétranché et du beurre demi-sel et doux.

Plateau de fromages

Choisissez si possible des fromages de saison.

Un vacherin entier (c'est la pleine saison)
Du brie ou du camembert (250 g)
6 petits fromages de chèvre (Sancerre, Rocamadour)
De la tomme de Savoie (250 g)
Du roquefort ou du stilton, du bleu ou du morbier (150 g)
Des pains divers aux aromates variés (noix, cumin, raisins, etc.)
Du beurre et éventuellement des feuilles de romaine bien croquantes ; certains apprécient le mélange salade-fromage

Gâteau à l'orange

2 oranges
2 œufs
100 g de farine
100 g de sucre en poudre
120 g de beurre
1 cuillerée à café de levure chimique
100 g de sucre glace

Temps de préparation : 45 mn.

1. Faites fondre doucement 100 g de beurre près d'une source de chaleur, puis laissez-le refroidir ; ajoutez-y les œufs entiers et le sucre en poudre, et battez. Râpez au-dessus de la préparation le zeste de 1 orange ; pressez son jus et versez-le également, puis ajoutez la farine et la levure. Fouettez doucement la pâte jusqu'à ce qu'elle devienne homogène et onctueuse.

2. Préchauffez le four (th. 5). Beurrez généreusement un moule à gâteau (à manqué, par exemple) et versez-y la préparation. Enfournez pendant 30 minutes en surveillant la cuisson. Le gâteau doit ressortir légèrement doré sur le dessus, mais très moelleux à l'intérieur.

3. Préparez le glaçage : pressez le jus de la deuxième orange et mélangez-le avec le sucre glace jusqu'à obtention d'une sorte de sirop. (Si vous souhaitez un goût d'orange plus prononcé, vous pouvez ajouter le zeste de la deuxième orange).

4. Lorsque le gâteau est cuit, sortez-le du four, décollez-le des parois du moule à l'aide d'un couteau, puis retournez-le d'un coup sec sur un plat de service. Étalez uniformément le glaçage sur le dessus avec le dos d'un couteau et laissez couler sur les côtés (vous pouvez parsemer un peu de zeste d'orange râpé). Laissez refroidir avant de découper le gâteau.

Notre conseil
Choisissez des maltaises, elles sont... de saison... et beaucoup plus savoureuses !

Apéritif dînatoire
Pour 6 à 8 personnes

Présentez un assortiment d'olives, arachides et fruits secs, tranches de chorizo, dés de fromage, saucisses, cocktail et petits boudins noirs.

Préparez quelques canapés et petits sandwiches en vous inspirant des conseils qui vous sont donnés page 10. Essayez de varier, autant que possible, les supports légumes et les supports plus traditionnels en pain de mie.

Prévoyez au moins une salade complète telle ma salade gourmande et un bouquet de légumes crus à tremper dans des dips, par exemple une sauce aux avocats (recette page 18) ou une sauce tartare (recette page 72).

Bouquet de légumes crus

1 ou 2 bouquets de brocolis détaillés en fleurettes
1 botte de radis
8 petites carottes
1 concombre
1 botte de petits oignons nouveaux avec leur tige
Olives vertes et noires
1/2 chou-fleur détaillé en fleurettes
1 barquette de tomates cerises
Quelques tiges de céleri-branche
12 champignons de Paris

Temps de préparation : 15 mn.

1. Nettoyez, lavez et séchez sur du papier absorbant tous les légumes. Coupez en bâtonnets les carottes, le concombre et le céleri-branche.

2. Piquez les légumes sur des cure-dents en bois ; plantez-les dans une boule de polystyrène recouverte de papier aluminium ou dans un bel ananas. Accompagnez de mayonnaise aux herbes, de guacamole (page 56), de tapenade, de fromage blanc aux herbes et à la tapenade, ou des dips suggérés ci-dessus.

Salade gourmande

2 bottes de cresson
50 g de pignons de pin
1 magret de canard fumé en tranches
2 belles tranches de foie gras mi-cuit
3 tomates olivettes
100 g de haricots verts frais ou surgelés cuits
3 cuillerées à soupe de vinaigrette
6 crottins de Chavignol
6 tranches de pain de campagne

Temps de préparation : 15 mn.

1. Lavez le cresson et effeuillez-le grossièrement ; essorez-le et placez-le dans un grand saladier.

2. Ajoutez les pignons de pin, les tranches de magret de canard débarrassées de leur graisse, le foie gras coupé en lanières, les tomates coupées en petits morceaux, les haricots verts et la vinaigrette. Mélangez très délicatement.

3. Allumez le gril du four. Coupez les fromages en rondelles assez épaisses et répartissez-les sur les tranches de pain de campagne en les faisant se chevaucher. Mettez les tranches de pain sous le gril quelques minutes, puis coupez-les en languettes et dégustez-les avec la salade.

Notre conseil
Si vous n'aimez pas le goût moutardé du cresson, utilisez de la feuille de chêne et de la mâche, tendres et juteuses, dont les saveurs se marient parfaitement.

Tartelettes aux fruits rouges

1 rouleau de pâte brisée (ou sablée) surgelée
1 noix de beurre
1/2 l de lait
1 gousse de vanille
3 jaunes d'œufs
80 g de sucre semoule
80 g de poudre d'amandes
40 g de Maïzena
200 g de fraises
200 g de framboises

Temps de préparation : 30 mn.

1. Laissez décongeler la pâte brisée à température ambiante.

2. Préparez la crème pâtissière : ouvrez la gousse de vanille, grattez les graines et mettez-les dans le lait (placez les deux écorces de vanille dans du sucre semoule et vous obtiendrez du sucre vanillé que vous utiliserez pour d'autres préparations). Portez le lait à ébullition.

3. Dans une casserole, hors du feu, battez énergiquement les jaunes d'œufs avec le sucre semoule jusqu'à ce que le mélange blanchisse, ajoutez alors la poudre d'amandes et la Maïzena.

4. Mélangez bien le tout, puis versez le lait vanillé bouillant en fouettant vigoureusement. Replacez la casserole sur le feu et laissez bouillir pendant 1 minute en continuant de battre le mélange. Lorsque celui-ci a épaissi, versez-le dans un plat creux et laissez-le refroidir.

5. Lavez les fraises et équeutez-les. Essuyez les framboises.

6. Étalez la pâte brisée avec un rouleau à pâtisserie ; découpez-la avec un emporte-pièce ou un bol de la taille de vos moules à tartelettes. Graissez ces derniers de beurre. Allumez le four (th. 5).

7. Découpez la pâte qui dépasse des bords. Piquez le fond à l'aide d'une fourchette et versez-y la crème pâtissière ; enfoncez les fraises sur la moitié des moules et les framboises sur l'autre. Placez les moules dans le four et laissez cuire 20 minutes environ.

8. Sortez les moules et laissez refroidir.

Buffet italien
Pour 6 personnes

Anchois marinés

500 g d'anchois frais
5 dl d'huile d'olive vierge extra
Le jus de 4 citrons
Le zeste de 1/2 orange
Sel, poivre du moulin

A préparer la veille.
Temps de préparation : 20 mn.

1. Nettoyez les anchois et levez les filets, ou demandez à votre poissonnier de le faire pour vous. Séchez-les sur du papier absorbant. Étalez-les dans un grand plat creux ; salez, poivrez, puis mouillez avec le jus de citron. Couvrez et laissez mariner toute une nuit.

2. Le lendemain, versez l'huile d'olive et ajoutez le zeste d'orange râpé.

3. Égouttez légèrement les anchois et servez-les sur du pain de la vallée d'Aoste.

Pain de la vallée d'Aoste

1 miche de pain de campagne
250 g de fromage blanc fermier type ricotta
2 cuillerées à café de graines de fenouil
3 cuillerées à soupe d'huile d'olive vierge extra
1 poivron mariné - Sel, poivre

Temps de préparation : 15 mn.

1. Coupez la miche de pain en deux et découpez chaque moitié en tranches pas trop épaisses ; faites-les griller dans un grille-pain et maintenez-les au chaud dans un linge propre.

2. Dans une grande terrine, mélangez le fromage blanc, les graines de fenouil, l'huile d'olive, du sel et du poivre ; ajoutez le poivron détaillé en tout petits dés. Tartinez les tranches de pain grillées de cette préparation.

Tomates à la mozzarella

4 tomates rondes et bien mûres
2 boules de mozzarella fraîche de bufflonne
4 cuillerées à soupe d'huile d'olive
1 bouquet de basilic
Sel, poivre

Temps de préparation : 10 mn.

1. Lavez les tomates et séchez-les sur du papier absorbant. Coupez-les en rondelles bien régulières, après avoir ôté le pédoncule, le chapeau et la base.

2. Disposez les rondelles de tomate sur un grand plat creux sans qu'elles se chevauchent. Découpez la mozzarella en tranches régulières ; posez sur chaque rondelle de tomate une rondelle de mozzarella. Ciselez grossièrement le basilic au-dessus du plat, salez, poivrez et arrosez d'huile d'olive.

Carpaccio à la roquette et au parmesan

1 kg de filet de bœuf
250 g de roquette
250 g de parmesan
5 cuillerées à soupe d'huile d'olive
Le jus de 1 citron
Sel, poivre du moulin

Temps de préparation : 25 mn.

1. Placez la viande dans le freezer de votre réfrigérateur ou dans le compartiment congélation. Il faut qu'elle soit ferme quand vous la couperez.

2. Nettoyez la roquette (ou, à défaut, du mesclun) et égouttez-la soigneusement. Répartissez-la sur des grandes assiettes que vous placez au frais.

3. A l'aide d'un couteau ou d'un trancheur électrique, découpez la viande semi-congelée en tranches aussi fines que du papier à cigarette. Étalez-les, au fur et à mesure, sur les feuilles de roquette.

4. Râpez le parmesan au-dessus de la viande, ou répartissez de fines lamelles découpées à l'aide d'un couteau économe. Aspergez de jus de citron et arrosez d'huile d'olive. Salez et poivrez juste avant de servir (surtout pas à l'avance).

Tiramisu

3 jaunes d'œufs
3 cuillerées à soupe de sucre semoule
1 verre à porto de marsala (vin italien type porto)
200 g de mascarpone (fromage crémeux italien)
1 petite tasse de café très fort
100 g de biscuits à la cuillère
2,5 dl de crème fraîche
Cacao en poudre

A préparer la veille.
Temps de préparation : 25 à 30 mn.

1. Préparez le sabayon : battez au fouet les jaunes d'œufs et le sucre jusqu'à ce que le mélange blanchisse. Ajoutez le marsala et travaillez le tout au fouet, dans un bain-marie, jusqu'à ce que le mélange épaississe. Laissez refroidir.

2. Imbibez les biscuits à la cuillère de café et montez la crème fraîche en chantilly.

3. Battez le mascarpone et incorporez-y la chantilly très délicatement.

4. Humectez un moule à manqué rectangulaire, disposez une couche de biscuits, recouvrez-la d'une couche de sabayon, d'une couche de mascarpone, d'une nouvelle couche de biscuits et renouvelez l'opération jusqu'à la fin des ingrédients. Placez au réfrigérateur pendant 24 heures.

5. Au moment de servir, découpez le tiramisu en parts individuelles que vous saupoudrez de cacao amer.

Buffet espagnol
Pour 6 personnes

Sangria

2 bouteilles de vin rouge
3 oranges - 1 pomme
1 banane - 1 poire
3 pêches - 2 citrons
75 g de sucre en poudre
1 pincée de cannelle en poudre
1 pincée de noix muscade

A préparer la veille.

Temps de préparation : 15 mn.

1. Lavez et essuyez les fruits ; épluchez la banane. Coupez les oranges, les citrons et la banane en fines rondelles. Pelez et coupez en cubes les pêches dénoyautées, la pomme et la poire évidées.

2. Placez tous les fruits dans un grand récipient, puis ajoutez le vin rouge, le sucre, la cannelle et la noix muscade.

3. Laissez macérer 24 heures au frais.

Œufs durs farcis

12 œufs
1 bol de mayonnaise
1 boîte de miettes de thon
1/2 chorizo
200 g d'olives noires
1 citron

Temps de préparation : 45 mn.

1. Portez une grande quantité d'eau à ébullition ; faites-y cuire les œufs pendant 9 minutes. Passez-les sous l'eau froide, laissez-les refroidir complètement, puis écalez-les.

2. Ouvrez la boîte de thon, et égouttez. Pelez le chorizo et coupez-le en fines rondelles. Dénoyautez les olives. Pressez le citron et râpez le zeste.

3. Coupez les œufs en deux dans le sens de la longueur. Prélevez délicatement les jaunes et écrasez-les dans la mayonnaise. Ajoutez le jus et le zeste du citron, mélangez bien

(la mayonnaise doit être légèrement liquide ; au besoin, ajoutez un peu de crème fraîche).

4. Répartissez la mayonnaise dans trois bols. Écrasez à la fourchette les miettes de thon et mettez-les dans l'un des bols ; mélangez soigneusement. Mixez les olives et mélangez avec la mayonnaise du deuxième bol. Découpez les rondelles de chorizo en tout petits dés ou hachez-les grossièrement (gardez quelques rondelles entières) ; mélangez avec le contenu du troisième bol.

5. Farcissez les demi-blancs d'œufs avec ces trois préparations.

Notre conseil

S'il vous reste de la farce, placez-la dans des raviers ; accompagnez de tranches de pain de campagne grillées ou de légumes crus – radis, chou-fleur, carottes, etc. – en bâtonnets, que chacun trempera à sa convenance.

Gambas grillées

24 gambas
2 gousses d'ail
1/2 piment rouge
2 cuillerées à soupe de jus de citron
3 cuillerées à soupe de vin blanc
1 feuille de laurier
1 branche de thym
1 verre à moutarde d'huile d'olive
Sel, poivre du moulin

A préparer la veille.

Temps de préparation : 15 mn.

1. Pelez et hachez les gousses d'ail. Coupez le piment rouge en tout petits tronçons, ciselez la feuille de laurier et émiettez le thym.

2. Dans un grand récipient creux, versez l'huile d'olive, le jus de citron, le vin blanc et tous les aromates. Salez, poivrez et remuez bien.

3. Décortiquez les gambas : ôtez la tête et la carapace. Placez les

queues dans la marinade, couvrez et laissez mariner pendant 12 heures (toute une nuit).

4. Le lendemain, égouttez légèrement les queues de gambas et placez-les sur un gril chaud ; laissez-les prendre couleur 2 à 3 minutes sur chaque face. Servez de préférence chaud ou tiède, mais ces gambas sont également très bonnes à peine refroidies.

Crèmes catalanes

5 jaunes d'œufs
40 cl de crème fraîche liquide
20 cl de lait + *1 goutte d'extrait de vanille*
60 g de miel d'acacia
50 g de cassonade

Temps de préparation : 1 h 10 mn.

1. Battez les jaunes d'œufs avec le miel d'acacia jusqu'à ce que le mélange forme un ruban ; mouillez avec le lait, puis ajoutez la vanille et la crème liquide. Fouettez vigoureusement jusqu'à ce que le mélange mousse légèrement.

2. Humidifiez à l'eau froide des petits ramequins individuels et versez-y la préparation.

3. Préchauffez le four (th. 3). Remplissez un grand plat au tiers de sa hauteur avec de l'eau bouillante pour faire un bain-marie. Posez délicatement les ramequins dans le plat et enfournez immédiatement. Laissez cuire pendant 45 minutes environ (il faut que les crèmes soient juste « prises », c'est-à-dire fermes en surface et molles à l'intérieur).

4. Sortez le plat du four, retirez-en les ramequins et laissez-les refroidir à température ambiante, puis placez dans le réfrigérateur.

5. Au moment de servir, allumez le gril du four en position maximale. Retirez les crèmes du réfrigérateur, poudrez-les de cassonade et passez-les rapidement sous le gril pour les caraméliser.

Buffet du Moyen-Orient
Pour 6 à 8 personnes

Vin aux épices

1 bonne bouteille de vin de Bourgogne
50 g de sucre semoule
1 gousse de vanille
1 petit morceau de gingembre
1 bâton de cannelle
6 clous de girofle
4 graines de cardamome
1 cuillerée d'eau de rose ou de fleur d'oranger

Temps de préparation : 20 mn.

1. Faites tiédir le vin dans une casserole ; pendant ce temps, ouvrez la gousse de vanille en deux, grattez-en les graines et mettez celles-ci dans le vin chaud. Ajoutez le sucre et le morceau de gingembre râpé, ainsi que toutes les épices écrasées. Couvrez le vin et laissez refroidir.

2. Laissez infuser pendant 1 heure, puis passez le liquide au tamis fin. Versez-le dans une carafe, ajoutez l'eau de rose ou la fleur d'oranger, fermez la carafe et placez-la au réfrigérateur 1 heure avant de servir.

Moules farcies

3 kg de grosses moules d'Espagne
Le jus de 2 citrons
5 cuillerées à soupe d'huile d'olive
2 oignons - 1 gousse d'ail
1 verre de riz
1 pincée de safran
1 pincée de coriandre en poudre
1 verre de vin blanc sec
2 cuillerées à soupe de persil plat haché
Sel, poivre

Temps de préparation : 1 h.

1. Préparez la farce : pelez et émincez les oignons et la gousse d'ail. Faites chauffer l'huile et jetez-y le riz pour qu'il rissole pendant 2 à 3 minutes. Ajoutez l'oignon et l'ail, le safran et la coriandre, du sel et du poivre, et laissez mijoter 4 à 5 minutes. Si c'est nécessaire, ajoutez 1 ou 2 cuillerées à soupe d'eau pour que le riz n'attache pas au fond du récipient.

2. Grattez et nettoyez les moules ; mettez-les dans un faitout et posez-les sur feu vif pour qu'elles s'ouvrent un petit peu. Remplissez-les de farce à l'aide d'une petite cuillère, puis refermez-les autant que c'est possible. Préchauffez le four (th. 4/5).

3. Posez les moules, bien serrées les unes contre les autres, dans un plat allant au four. Arrosez-les de vin blanc et de jus de citron. Couvrez, enfournez et laissez mijoter pendant une trentaine de minutes.

4. Sortez le plat du four et saupoudrez les moules de persil haché. Laissez tiédir ou refroidir. Chacun se servira avec les doigts, mais n'omettez pas de placer quelques rince-doigts emplis d'eau tiède citronnée.

Brochettes de poulet

Pour 8 brochettes moyennes ou 16 petites
8 blancs de poulet
1 poivron vert - 1 poivron rouge
4 oignons nouveaux
Pour la marinade
1 verre de vin blanc
1 citron - 1 piment rouge
1 feuille de laurier
1 branche de thym
1 gousse d'ail - Sel, poivre

A préparer la veille.
Temps de préparation : 40 mn.

1. Préparez la marinade : dans une grande terrine, mettez le vin blanc, le jus et le zeste râpé du citron, le piment rouge coupé en fines rondelles, la feuille de laurier grossièrement émiettée, le thym émietté, l'ail pelé et haché, du sel et du poivre.

2. Plongez dans la marinade les blancs de poulet coupés en dés. Couvrez et laissez mariner.

3. Le lendemain, égouttez le poulet à l'aide d'une passoire. Ouvrez les poivrons vert et rouge en deux, épépinez-les et ôtez les parties blanches ; coupez-les en gros carrés. Confectionnez les brochettes en enfilant en alternance des dés de poulet, des morceaux de poivron de chaque couleur et des oignons nouveaux (vous pouvez ajouter d'autres ingrédients tels que tomates cerises, dés d'aubergine, olives, etc.).

4. Faites cuire les brochettes de préférence sur des braises (à défaut au four pendant 20 minutes), en les arrosant souvent de marinade.

Gâteau de semoule

1 l de lait
1 gousse de vanille
200 g de semoule
100 g de beurre
1 bonne pincée de cannelle en poudre
1 citron - 1 pot de yaourt
4 cuillerées à soupe de miel
100 g de dattes
100 g de raisins secs
100 g d'amandes

A préparer plusieurs heures à l'avance.
Temps de préparation : 30 mn.

1. Portez le lait à ébullition et retirez-le du feu au premier bouillon. Ouvrez la gousse de vanille en deux, grattez les graines et laissez-les infuser dans le lait chaud.

2. Faites fondre une noisette de beurre dans une poêle et mettez-y la semoule à rissoler. Versez-la ensuite dans le lait chaud, remuez et remettez sur le feu. Ajoutez le miel, la cannelle, le yaourt, le jus et le zeste du citron. Remuez jusqu'à ce que la semoule ait doublé de volume. Retirez du feu.

3. Mixez les dattes, les raisins secs et les amandes. Ajoutez-les à la semoule, puis incorporez très progressivement le reste du beurre.

4. Étalez la pâte obtenue sur un plat rectangulaire, couvrez et laissez refroidir plusieurs heures.

Buffet d'Extrême-Orient
Pour 6 à 8 personnes

Œufs de caille aromatisés

3 ou 4 œufs de caille par personne
Huile de friture
Pour la marinade
4 cuillerées à soupe de sauce soja
4 anis étoilé
1 petit morceau de gingembre frais
2 petits oignons nouveaux
Pour la panure
2 cuillerées à soupe de graines de sésame grossièrement écrasées
2 cuillerées à soupe de cacahuètes grossièrement écrasées
2 cuillerées à soupe de noix de cajou grossièrement écrasées
2 pincées de piment en poudre
1 cuillerée à soupe d'épice aux cinq-parfums
1 cuillerée à café de sel

Temps de préparation : 30 mn.

1. Faites durcir les œufs de caille, si possible à la vapeur, pendant 10 minutes environ.

2. Pendant ce temps, préparez la marinade : mélangez dans un grand saladier la sauce soja, l'anis étoilé, le gingembre râpé et les petits oignons nouveaux hachés.

3. Écalez les œufs et faites-les mariner dans la préparation au soja pendant 15 minutes au minimum.

4. Sortez les œufs de la marinade et essuyez-les délicatement. Faites-les dorer quelques instants dans de l'huile bien chaude.

5. Préparez la panure : mélangez les graines de sésame, les cacahuètes et les noix de cajou écrasées, le sel, le piment et la poudre cinq-parfums.

6. Essuyez les œufs sur du papier absorbant, puis roulez-les dans la panure et réservez-les à température ambiante.

7. Faites réchauffer les œufs au four à micro-ondes quelques instants avant de les présenter à table, ou servez-les froids.

Brochettes de porc et de poulet à l'ananas

250 g de filet de porc
250 g de blanc de poulet
1 boîte d'ananas
2 cuillerées à soupe de sauce soja
1 gousse d'ail
1 cuillerée à soupe de miel liquide
1 cuillerée à café de vinaigre de vin
1 cuillerée à café d'alcool de riz

Temps de préparation : 1 h 35 mn.

1. Découpez le porc et le poulet en cubes de 1,5 cm de côté.

2. Égouttez les tranches d'ananas sur du papier absorbant. Réservez le jus.

3. Préparez la marinade : mélangez 2 cuillerées à soupe de jus d'ananas, la sauce soja, la gousse d'ail pelée et émincée, le miel, le vinaigre de vin et l'alcool de riz. Versez ce mélange dans une casserole et faites-le chauffer à feu doux. Éteignez le feu, versez les cubes de viande dans la casserole.

4. Coupez les tranches d'ananas en morceaux et mettez-les dans la casserole. Laissez mariner 1 heure en retournant assez souvent les cubes de viande.

5. Allumez le gril du four. Sur des piques en bois, enfilez les cubes de viande et les morceaux d'ananas. Mettez les brochettes sous le gril du four pendant 10 minutes environ, en les retournant à mi-cuisson. Servez immédiatement.

Notre conseil
Servez avec du riz blanc cuit à la vapeur et des germes de soja crus ou à peine ébouillantés, et égouttés. Et n'oubliez pas les baguettes en bois !

Une recette de plus
Raviolis de porc et de crevette à la vapeur, page 92.

Pâtés impériaux

300 g d'épaule de porc désossée
100 g de crevettes roses décortiquées
120 g de champignons noirs
6 galettes de riz
100 g de germes de soja
1 œuf - 1 oignon - 1 carotte
1/2 cuillerée à café de sucre en poudre
Menthe fraîche et feuilles de laitue
Huile de friture
Sauce soja ou nuoc mâm
Sel, poivre

Temps de préparation : 30 mn.

1. Déposez les galettes de riz sur un torchon humide.

2. Hachez la viande de porc, la carotte pelée et coupée en rondelles, l'oignon pelé ; faites-les revenir dans une poêle anti-adhésive très légèrement huilée. Retirez la poêle du feu et ajoutez les crevettes, les champignons noirs, les germes de soja, le sucre, du sel et du poivre. Mélangez soigneusement.

3. Coupez les galettes de riz en deux. Étalez 1 cuillerée à soupe de farce sur chaque demi-galette, puis enroulez-les sur elles-mêmes.

4. Cassez l'œuf et séparez le jaune du blanc. Trempez un pinceau dans le blanc et badigeonnez le bord de la galette avant de fermer complètement le rouleau.

5. Faites frire les pâtés dans de l'huile bien chaude. Lorsqu'ils sont croustillants, sortez-les et égouttez-les sur du papier absorbant. Gardez-les au chaud dans une feuille de papier aluminium.

6. Servez les pâtés impériaux avec les feuilles de menthe et de laitue : vos invités pourront ainsi les entourer de verdure avant de les tremper dans la sauce soja ou le nuoc mâm.

Notre conseil
Préparez une superbe corbeille de fruits exotiques : litchis frais, kumquats, arbouses, mandarines, bananes, papayes, mangues, pommes, gingembre confit, pâtes de fruits.

Buffet indien
Pour 6 à 8 personnes

Samosas à la viande

Pour la pâte
(quantités pour les samosas à la viande
et les samosas aux légumes)

400 g de farine
100 g de beurre mou
3 cuillerées à soupe de lait
2 verres d'eau
Sel, poivre de Cayenne

Pour la farce

200 g de bifteck haché
1 oignon nouveau
1 cuillerée à café de coriandre hachée
1 pincée de cumin en poudre
20 g de beurre - Sel, poivre
Huile de friture

Pâte à préparer 1 heure à l'avance.

Temps de préparation : 1 h.

1. Préparez la pâte : réservez 2 cuillerées à soupe de farine et mélangez le reste avec le beurre en petits morceaux, du sel et du poivre. Émiettez la pâte entre vos doigts jusqu'à ce qu'elle ait la consistance d'une semoule. Mouillez alors avec le lait et l'eau, puis pétrissez, façonnez en boule et roulez dans la farine réservée. Laissez reposer au moins 1 heure à température ambiante.

2. Préparez la farce : faites fondre le beurre dans une grande poêle et mettez-y à revenir l'oignon haché, la coriandre, le cumin, du sel et du poivre ; ajoutez le bifteck haché, couvrez et laissez mijoter pendant une dizaine de minutes. Écrasez bien le tout à la fourchette et laissez refroidir.

3. Avec un rouleau à pâtisserie, étalez la boule de pâte en une feuille aussi fine que possible et découpez-la, à l'aide d'un emporte-pièce, en disques de 10 cm de diamètre. Réservez les chutes de pâte. Utilisez la moitié de la pâte pour les samosas à la viande et l'autre moitié pour les samosas aux légumes (voir recette ci-après).

4. Huilez une lèchefrite (ou plaque à pâtisserie). Répartissez les ronds de pâte et étalez un peu de farce en leur centre. A l'aide d'un pinceau, huilez les contours de chaque disque, puis repliez en deux en pressant fortement sur les côtés opposés pour former des chaussons.

5. Faites chauffer l'huile dans une sauteuse ou dans une friteuse ; lorsqu'elle est bien chaude, posez les samosas dans le panier métallique, faites-les frire sur leurs deux faces pendant 6 à 8 minutes, juste le temps qu'ils soient bien dorés.

6. Égouttez les samosas et posez-les sur du papier absorbant. Maintenez-les au chaud (dans le four tiède, par exemple) jusqu'au moment de servir.

Samosas aux légumes

Pour la farce

200 g de pommes de terre (rattes)
200 g de petits pois frais
100 g de carottes nouvelles
100 g d'épinards frais
100 g de haricots verts
1 petit piment chili
1 cuillerée à café d'épice cinq-parfums
20 g de beurre
Quelques branches de coriandre fraîche
1 cuillerée à soupe de cumin
Sel, poivre de Cayenne

Temps de préparation : 1 h.

1. Préparez la farce : pelez les pommes de terre et coupez-les en petits cubes. Écossez les petits pois. Épluchez les carottes et coupez-les en fine julienne. Lavez les épinards et ciselez-les finement. Équeutez les haricots verts et cassez-les en deux ou trois tronçons. Émincez le piment en fins anneaux et épépinez-le soigneusement, avec une pince à épiler, par exemple.

2. Faites bouillir de l'eau salée dans une casserole et plongez-y tous les légumes pendant 10 minutes. Égouttez-les soigneusement dans une grande passoire.

3. Faites fondre le beurre dans une poêle et mettez-y à revenir tous les légumes à couvert, sur feu doux, pendant 5 minutes. Ajoutez l'épice cinq-parfums et laissez infuser pendant quelques minutes, toujours couvert.

4. Ajoutez la coriandre effeuillée, le cumin et du poivre ; remuez bien. Laissez tiédir, puis écrasez grossièrement le tout à la fourchette.

5. Pour la confection et la cuisson, reportez-vous aux étapes 4 à 6 des samosas à la viande.

Kulfi au fromage blanc

250 g de fromage blanc frais
50 g de sucre en poudre
50 g d'amandes
25 g de pistaches
10 g de cardamome
25 g de raisins secs
25 g de noix de coco râpée
1 petit bouquet de menthe
Mangues, bananes et autres fruits frais

Temps de préparation : 15 mn.

1. Mélangez le fromage blanc et le sucre en poudre.

2. Hachez les amandes, les pistaches, la cardamome et les raisins secs, puis ajoutez la poudre de noix de coco.

3. Lavez le bouquet de menthe et effeuillez-le ; ciselez finement les feuilles. Mélangez tous les ingrédients dans un grand saladier et placez au frais.

4. Épluchez ou pelez tous les fruits, coupez-les en tout petits cubes, placez-les dans le fromage blanc, couvrez et remettez au frais jusqu'au moment de servir.

Notre conseil
Accompagnez ce buffet indien de thé... tout simplement !

Une recette de plus
Chutney doux ou chutney acidulé, page 93.

Buffet russe
Pour 6 à 8 personnes

Zakouski

Il s'agit d'un assortiment de petites entrées dont on se sert à volonté.

- Harengs à la crème, poissons fumés (saumon, anguille, esturgeon, truite, flétan), œufs de poisson (lump, saumon, esturgeon, truite), pâtés de foies de volaille ou de viande (poulet, veau, bœuf), salades (betteraves à la crème aigre, chou blanc, champignons...), etc.

Poissons marinés

Petits maquereaux (lisettes), harengs, merlan, truite, saumon, débarrassés de leur peau, de leurs arêtes et détaillés en filets ou en lamelles
Pour la marinade
25 cl de vinaigre de vin blanc
15 cl d'huile d'arachide
1/2 branche de céleri
2 carottes - 1 oignon
2 clous de girofle
3 baies de genièvre
1 feuille de laurier
5 grains de poivre gris - Gros sel
2 cuillerées à soupe de sucre en poudre

A préparer 2 ou 3 jours à l'avance.
Temps de préparation : 20 mn.

1. Nettoyez et hachez grossièrement les carottes, l'oignon et le céleri.
2. Faites chauffer l'huile dans une casserole ; mettez-y le céleri, la carotte et l'oignon hachés, les clous de girofle, les baies de genièvre écrasées, le poivre, la feuille de laurier ciselée, le sucre et du sel, remuez bien. Lorsque l'ensemble commence à grésiller, mouillez avec le vinaigre, laissez réduire très légèrement, puis ajoutez les lamelles de poisson ; laissez cuire dans la marinade pendant 1 minute à peine.
3. Versez délicatement la préparation dans un grand récipient creux et couvrez. Laissez refroidir à température ambiante.

4. Dans une terrine en porcelaine munie d'un couvercle, disposez le poisson prélevé à l'aide d'une écumoire. Passez la marinade au tamis, puis versez-la sur le poisson. Posez le couvercle de la terrine et placez-la au frais pendant au moins 2 ou 3 jours.

Œufs farcis

Temps de préparation : 15 mn.
Faites durcir (10 minutes) dans de l'eau bouillante autant d'œufs que vous le souhaitez ; écalez-les, coupez-les en deux, prélevez le jaune et farcissez les demi-blancs avec les mélanges suivants :

- jaunes écrasés + chapelure + fines herbes + crème fraîche
- jaunes écrasés + moutarde + vodka + foies de volaille hachés et revenus dans de l'huile + crème aigre (ou crème fraîche + 1 filet de jus de citron) ou yaourt grec
- jaunes écrasés + moutarde + betteraves coupées en petits cubes + crème aigre
- jaunes écrasés + œufs de saumon + jus de citron + mayonnaise à l'oseille

« Côtelettes » Pojarski

6 blancs de poulet
20 cl de crème aigre (ou crème fraîche + 1 filet de jus de citron)
150 g de chapelure
1 pincée de noix muscade
2 œufs - 30 g de beurre
2 cuillerées à soupe d'huile
Persil plat haché - Sel, poivre

Temps de préparation : 20 mn.

1. Après avoir retiré la peau des blancs de poulet, coupez-les en morceaux et hachez-les grossièrement.
2. Battez la crème avec 50 g de chapelure.
3. Dans un grand saladier, mélangez le poulet haché, du sel, du poivre, la muscade, les œufs et la crème, jusqu'à ce que vous obteniez un mélange bien homogène. Partagez cette pâte en 12 parts égales. Donnez-leur une forme ovale, puis roulez-les dans le reste de chapelure.
4. Faites chauffer le beurre et l'huile dans une poêle. Mettez-y à cuire les côtelettes sur leurs deux faces ; lorsqu'elles sont dorées, égouttez-les sur du papier absorbant, roulez-les dans le persil plat haché.

Gâteau aux noix

250 g de cerneaux de noix
4 œufs
1 gousse de vanille
75 g de sucre en poudre
50 g de farine
30 g de beurre - Sel

Temps de préparation : 1 h 50 mn.

1. Hachez grossièrement 200 g de cerneaux de noix. Mélangez avec la farine et 1 pincée de sel.
2. Cassez les œufs et séparez les blancs des jaunes.
3. Ouvrez la gousse de vanille en deux, grattez les graines et mettez-les avec les jaunes (gardez les demi-gousses pour une autre utilisation) ; ajoutez le sucre et 1 pincée de sel. Fouettez vigoureusement jusqu'à ce que le mélange blanchisse et devienne mousseux, puis versez le mélange farine/noix et mêlez intimement.
4. Battez les blancs d'œufs avec 1 pincée de sel en neige bien ferme ; incorporez-les délicatement à la préparation.
5. Préchauffez le four (th. 5/6). Beurrez un moule à manqué et versez-y la préparation. Enfournez pour environ 1 heure, en surveillant la cuisson. Lorsque le gâteau est cuit, sortez-le, laissez-le refroidir, démoulez-le et découpez-le en tranches. Disposez sur des assiettes à dessert et décorez avec le reste des cerneaux de noix.

45

Buffet scandinave
Pour 8 personnes

Smörrebröd

Le smörrebröd est le buffet traditionnel en Suède, en Norvège et au Danemark.

Prévoyez un assortiment de poissons fumés (saumon, truite, esturgeon, flétan, maquereau, sprat, anguille, etc.) détaillés en fines tranches et joliment présentés sur un grand plat ; des poissons marinés (saumon, harengs, sardines, thon, dorade parés et coupés en petits cubes, immergés dans une marinade faite d'huile, de vinaigre, d'échalotes hachées, de sel et de poivre pendant 12 heures environ) ; des harengs à l'aneth, à la tomate ou à la moutarde ; des rollmops et du tartare de haddock ; du tarama et des œufs de saumon ; de la salade de pommes de terre et/ou de chou blanc ; des blinis réchauffés ou des toasts de pain de mie, du pain de campagne et du pain noir que l'on trouve désormais dans les grandes surfaces.

Gravlax

4 filets de saumon avec leur peau
150 g de sucre en poudre ultra-fine
100 g de sel marin
3 cuillerées à soupe d'huile d'olive
2 bouquets d'aneth

A préparer au moins 2 jours à l'avance.
Temps de préparation : 20 mn.

1. Mélangez le sucre et le sel ; séparez cette poudre en deux, puis versez l'une des moitiés dans un grand récipient creux pouvant contenir le saumon.

2. Ôtez très soigneusement toutes les arêtes des filets de poisson avec une pince à épiler. Posez deux filets côté peau dans le plat, puis enfoncez-les légèrement pour qu'ils soient parfaitement enveloppés de poudre.

3. Passez l'aneth sous l'eau fraîche puis essuyez. Posez un bouquet sur la chair des deux premiers filets, puis couvrez avec les deux autres filets, côté peau au-dessus. Versez le reste du mélange sucre-sel sur le poisson et répartissez le deuxième bouquet d'aneth.

4. Couvrez le plat avec un film étirable et placez-le dans le réfrigérateur pendant 48 heures.

5. Sortez le plat du réfrigérateur et ôtez le film. Rincez les filets de poisson à l'eau fraîche pour éliminer toute trace du mélange sucre-sel. Posez les filets sur du papier absorbant, enveloppez-les et séchez-les soigneusement.

6. Versez l'huile d'olive dans une terrine en terre cuite ou en porcelaine ; placez-y les filets de saumon et enfoncez-les légèrement pour que l'huile les recouvre parfaitement ; posez le couvercle. Placez au frais jusqu'au moment de servir : vous pouvez les garder ainsi pendant 2 ou 3 jours.

7. Sortez les filets de saumon de leur marinade, puis coupez-les en biais, en fines tranches ou en pavés, et servez.

Camembert frit à la confiture de baies polaires

1 camembert coupé en 8 parts
1 œuf – 1 tasse de chapelure
Huile de friture
1 pot de confiture de baies polaires ou d'airelles

Temps de préparation : 15 mn.

1. Battez l'œuf entier en omelette et plongez-y les morceaux de camembert.

2. Roulez-les ensuite dans la chapelure.

3. Faites chauffer l'huile de friture et plongez-y les morceaux de camembert ; lorsqu'ils sont juste frits, c'est-à-dire croustillants à l'extérieur et moelleux à l'intérieur, sortez-les délicatement avec une écumoire et posez-les sur du papier absorbant.

4. Servez tiède, avec de la confiture de baies polaires ou d'airelles légèrement tiédie.

Tarte aux myrtilles

1 pot de confiture de myrtilles de bonne qualité
250 g de pâte feuilletée ou sablée
2 cuillerées à soupe de farine
20 g de beurre
1 bombe de crème chantilly (ou 20 cl de crème fraîche liquide + 1 cuillerée à soupe de sucre glace)

Temps de préparation : 30 mn.

1. Farinez votre surface de travail et étalez la pâte avec un rouleau à pâtisserie. Préchauffez le four (th. 5).

2. Beurrez un moule à tarte et chemisez-le avec la pâte. Réservez les chutes des bords. Piquez la pâte en plusieurs endroits avec les dents d'une fourchette. Placez le moule au four pendant 5 minutes ; la pâte va « gonfler » légèrement.

3. Sortez le fond de tarte du four et couvrez-le généreusement de confiture de myrtilles ; décorez avec des lanières de pâte disposées en croisillons. Remettez le moule à tarte dans le four et laissez cuire pendant 15 minutes.

4. Sortez le moule du four lorsque la tarte est cuite et laissez-la refroidir.

5. Sortez la bombe de crème chantilly du réfrigérateur ou battez la crème fraîche liquide avec le sucre glace jusqu'à former une crème un peu épaisse qui colle aux fouets.

6. Formez des volutes de crème chantilly sur la tarte tiède (à l'aide d'une douille à pâtisserie si vous avez confectionné la crème vous-même) et découpez celle-ci en parts individuelles.

Buffet d'Afrique du Nord

Pour 8 personnes

Kemia

La kemia est un assortiment de préparations que l'on sert en entrée, dans les pays du Maghreb.

Outre les recettes expliquées ci-après, vous présenterez joliment des raviers d'olives noires et vertes, des arachides et des fruits secs, des dés de concombre et de tomate à la menthe.

Vous pourrez également servir des poivrons grillés coupés en lanières et marinés dans l'ail et l'huile d'olive, des rondelles de carotte sautées à la coriandre et de la purée de courgette au cumin.

Salade d'oranges aux oignons rouges

4 oranges
2 oignons rouges
12 olives noires
12 dattes
4 noix décortiquées
Le jus de 1/2 citron
1 cuillerée à soupe d'eau de fleur d'oranger
1 pincée de cannelle
Sel

Temps de préparation : 15 mn.

1. Lavez les oranges, essuyez-les et pelez-les à vif. Coupez-les en rondelles en gardant leur jus ; retirez tous les pépins et disposez les tranches dans un plat, en les faisant se chevaucher.

2. Pelez les oignons, coupez-les en rondelles et étalez-les sur les oranges.

3. Dénoyautez les olives et les dattes ; coupez-les en gros morceaux. Concassez grossièrement les noix.

4. Mélangez le jus de citron, l'eau de fleur d'oranger, la cannelle et du sel.

5. Disposez les olives, les noix et les dattes sur la salade, puis arrosez de sauce.

Salade de fenouil

2 beaux bulbes de fenouil
Le jus de 1 citron
1 cuillerée à soupe de cumin en poudre
3 cuillerées à soupe d'huile d'olive
Olives vertes et noires dénoyautées pour la décoration
Sel, poivre

A préparer au moins 2 heures à l'avance.
Temps de préparation : 10 mn.

1. Lavez les fenouils et épluchez-les. Coupez-les en très fines rondelles : elles vont se « défaire » et former des lanières. Gardez les branches.

2. Mélangez le jus de citron, le cumin, l'huile d'olive, du sel et du poivre.

3. Mélangez longuement les lanières de fenouil avec la sauce au citron. Laissez mariner pendant 2 heures au minimum. Au dernier moment, décorez avec les olives vertes et noires et ciselez les feuilles de fenouil au-dessus de la salade.

Salade de pois chiches

1 boîte de pois chiches
1 oignon rouge
2 tomates
Le jus de 1/2 citron
3 cuillerées à soupe d'huile d'olive
4 feuilles de menthe
Sel, poivre

Temps de préparation : 10 mn.

1. Videz la boîte de pois chiches dans une passoire, rincez à l'eau fraîche et égouttez.

2. Pelez l'oignon et coupez-le en fines rondelles. Coupez les tomates en quartiers.

3. Mélangez le jus de citron, l'huile d'olive, du sel et du poivre.

4. Mélangez longuement les pois chiches et les oignons avec la sauce.

Versez dans un plat. Au dernier moment, ajoutez les quartiers de tomate et décorez avec les feuilles de menthe.

Bricks à l'œuf

8 feuilles de brick
8 œufs
Persil plat ciselé
Sel, poivre
Huile de friture

Temps de préparation : 25 mn.

1. Cassez un œuf sur chaque feuille de brick. Salez, poivrez, parsemez de persil et refermez les feuilles de brick.

2. Faites chauffer l'huile, mettez-y les bricks à dorer sur leurs deux faces, puis égouttez-les très soigneusement sur du papier absorbant. Servez immédiatement.

Bricks au thon

8 feuilles de brick
2 petites boîtes de miettes de thon
2 oignons
2 cuillerées à soupe de persil plat
2 œufs durs
Sel, poivre
Huile de friture

Temps de préparation : 25 mn.

1. Égouttez les miettes de thon ; écalez les œufs durs.

2. Pelez les oignons et hachez-les avec le persil plat et les œufs durs écrasés. Salez, poivrez et mélangez avec les miettes de thon.

3. Disposez au centre de chaque feuille de brick un huitième de farce, puis refermez en portefeuille.

4. Faites chauffer l'huile, mettez-y les bricks à dorer puis égouttez-les sur du papier absorbant. Servez chaud, tiède ou froid.

Buffet d'Afrique du Nord
(suite)

Notre conseil

Vous pouvez farcir les feuilles de brick avec d'autres préparations :
- foies de volaille hachés + persil + oignon haché + sel + poivre.
- bifteck haché + menthe + piment de Cayenne + sel.
- poulet haché ou coupé en petits dés + raisins secs + poudre d'amande + sel.

Merguez grillées

8 merguez
1 cuillerée à soupe de thym émietté
1 cuillerée à soupe de laurier finement ciselé
2 cuillerées à soupe d'huile d'olive
2 gousses d'ail

Temps de préparation : 15 mn.

1. Pelez et hachez les gousses d'ail. Mélangez le thym, le laurier, l'huile d'olive et l'ail. Mettez-y à mariner les merguez, 30 minutes environ.

2. Préparez une braise ou un barbecue avec des sarments de vigne et faites-y griller les merguez. A défaut, placez-les sous le gril du four ou sur un plat en fonte posé sur une flamme.

3. Lorsque les merguez sont grillées de tous les côtés, maintenez-les au chaud et au moment de les servir, posez-les sur du couscous aux légumes, ou plus simplement de la semoule de couscous préparée comme il est indiqué dans notre conseil ci-contre.

Notre conseil

Achetez des merguez de très bonne qualité, dans les boucheries arabes de préférence, plutôt que des merguez sous cellophane vendues dans les grandes surfaces. A moins que vous ne souhaitiez les préparer vous-même avec de la viande de mouton hachée, malaxée avec de la poudre de fenouil, du cumin, du sel, du poivre et de la menthe ciselée.

Brochettes grillées

600 g d'épaule d'agneau
3 gousses d'ail
2 cuillerées à soupe de menthe
2 cuillerées à soupe de coriandre
1 cuillerée à café de cumin en poudre
Le jus de 1 citron
3 cuillerées à soupe d'huile d'olive
1 poivron rouge
1 poivron jaune
Sel, poivre de Cayenne

A préparer la veille.

Temps de préparation : 15 mn.

1. Pelez et hachez l'ail. Hachez la menthe et la coriandre.

2. Préparez la marinade : mélangez l'ail, la menthe, la coriandre, le cumin, le jus de citron, l'huile d'olive, du sel et du poivre dans une terrine.

3. Coupez la viande en gros cubes, placez-la dans la marinade, couvrez avec une feuille de papier sulfurisé et laissez reposer au frais pendant 24 heures en remuant de temps à autre.

4. Le lendemain, égouttez les cubes de viande et enfilez-les sur des piques en métal en les alternant avec des morceaux de poivron rouge et jaune préalablement épépinés et détaillés en gros cubes.

5. Faites chauffer le gril de votre four et placez-y les brochettes. Retournez-les au bout de 10 minutes et laissez cuire l'autre face (si vous disposez d'un barbecue, cela n'en sera que meilleur).

Notre conseil

Présentez les brochettes avec des petits bols de couscous – semoule de blé cuite à la vapeur – dans lesquels vous aurez disposé des raisins secs gonflés dans de l'eau et des pois chiches en boîte.

Accompagnez de sauce harissa délayée dans un peu d'huile d'olive ou dans du coulis de tomates fraîches.

Petits sablés au sésame

400 g de farine
200 g de beurre fondu
175 g de sucre en poudre
1 sachet de sucre vanillé
1 sachet de levure en poudre
200 g de graines de sésame
7 cl d'eau
1 noix de beurre
70 g de pistaches hachées

Temps de préparation : 30 mn.

1. Mélangez la farine, le beurre, les sucres et la levure. Mouillez avec l'eau, formez une pâte et ajoutez la moitié des graines de sésame. Malaxez bien. Divisez la pâte en petites boulettes, aplatissez-les avec vos paumes de mains pour former des galettes.

2. Préchauffez le four (th. 5). Beurrez une grande plaque à pâtisserie. Dans une assiette, mettez les graines de sésame restantes et les pistaches hachées. Étalez le mélange, puis trempez-y les galettes de pâte sur chaque face ; placez-les au fur et à mesure sur la plaque à pâtisserie.

3. Enfournez les sablés pendant une dizaine de minutes ; ils doivent ressortir croustillants. Dégustez-les tièdes ou froids, éventuellement trempés dans du miel liquide.

Notre conseil

Présentez de belles corbeilles de fruits frais, des dattes en branche et servez du thé à la menthe et du rosé bien frais.

Vous pouvez également offrir un digestif tunisien, la « boukhra », sorte d'eau-de-vie de figues !

Buffet antillais

Pour 6 personnes

Salade de cœurs de palmier et de pousses de bambou

1 boîte de cœurs de palmier
1 boîte de pousses de bambou
Pour la sauce vinaigrette
Le jus de 2 citrons verts
1 morceau de gingembre râpé
1 piment rouge haché
1 gousse d'ail pelée et hachée
1 cuillerée à soupe de persil haché
1 cuillerée à soupe de cive hachée (ou quelques tiges de ciboulette ou d'oignon nouveau)
4 cuillerées à soupe d'huile d'arachide
Sel, poivre

A préparer 2 ou 3 heures à l'avance.
Temps de préparation : 10 mn.

1. Rincez et égouttez les cœurs de palmier et les pousses de bambou ; coupez-les en très fines rondelles.

2. Dans un grand saladier, mélangez tous les ingrédients de la vinaigrette et mettez-y à mariner les rondelles de légumes. Laissez macérer au frais 2 à 3 heures avant de servir. Attention, c'est très piquant !

Féroce d'avocat

200 g de morue séchée
3 avocats bien mûrs
Le jus de 2 citrons verts
1 piment rouge haché
1 oignon nouveau pelé et haché (y compris la tige verte)
1 gousse d'ail pelée et hachée
1 cuillerée à café de poudre de colombo (coriandre, curry, anis, poivre, girofle, etc.)

A préparer la veille.
Temps de préparation : 25 mn.

1. Faites tremper la morue dans de l'eau fraîche pendant 24 heures, en renouvelant l'eau de temps à autre.

2. Le lendemain, ouvrez les avocats en deux et dénoyautez-les. Creusez la chair et écrasez-la en purée (gardez la peau). Aspergez immédiatement avec le jus de citron vert. Ajoutez le piment rouge, l'oignon, l'ail et la poudre de colombo ; mélangez bien. Mettez la purée au frais, sans omettre d'y laisser les noyaux d'avocat, qui lui éviteront de noircir.

3. Égouttez la morue et faites-la cuire à la vapeur jusqu'à ce que vous puissiez la « chiqueter », c'est-à-dire l'effeuiller, avec une fourchette. Laissez refroidir.

4. Mélangez la chiquetaille de morue et la purée d'avocat, puis farcissez les demi-peaux d'avocat réservées.

Maquereaux et dorade en marinade

1 dorade écaillée, vidée et coupée en petits cubes
4 maquereaux écaillés, vidés et coupés en petits cubes
Pour la marinade
Le jus de 6 citrons verts
1 petit piment vert haché
2 oignons nouveaux pelés et hachés
2 gousses d'ail pelées et hachées
8 brins de persil
8 brins de coriandre
2 baies de poivre de la Jamaïque
1 morceau de gingembre émincé
1 pincée de safran - Sel

A préparer 2 à 3 heures à l'avance.
Temps de préparation : 20 mn.

1. Préparez la marinade : mélangez tous les ingrédients et placez-y les morceaux de poisson. Couvrez et laissez mariner pendant 2 à 3 heures au minimum.

2. Égouttez le poisson. Faites-le revenir dans une grande sauteuse sur feu vif pendant 5 à 10 minutes.

3. Passez la marinade au tamis, versez-la sur un grand plat de service et déposez-y les cubes de poisson. Servez tiède ou froid.

Ailes de poulet au lait de coco et aux bananes

12 ailes de poulet
4 petites bananes (fressinettes)
Pour la marinade
3 dl de lait de coco
2 cuillerées à soupe de noix de coco râpée
1 cuillerée à café d'épice cinq-parfums
1 pincée de piment

A préparer 2 à 3 heures à l'avance.
Temps de préparation : 30 mn.

1. Préparez la marinade en mélangeant tous les ingrédients. Placez-y les ailes de poulet et laissez mariner 2 à 3 heures en retournant de temps à autre.

2. Égouttez les ailes de poulet et faites-les griller sur feu vif.

3. Faites réduire la marinade sur feu doux et versez la purée obtenue dans un ravier.

4. Épluchez les bananes et coupez-les en fines rondelles. Mettez-les dans la purée de coco et mélangez délicatement. Rangez les ailes de poulet sur un plat et servez avec la sauce, dans laquelle chacun les trempera.

Notre conseil
Vous pouvez remplacer les ailes de poulet par des blancs coupés en petits cubes ; dans ce cas, prévoyez des piques en bois.

En dessert, présentez une corbeille de fruits exotiques et des gâteaux à la noix de coco achetés chez votre pâtissier et n'oubliez pas le punch sans lequel le buffet ne serait pas vraiment… antillais.

Buffet américain
Pour 8 personnes

Bouchées de poulet à la « cajun »

16 ailes de poulet
150 g de farine
200 g de noix de pécan
1/2 cuillerée à café de thym en poudre
1/2 cuillerée à café de cumin en poudre
1/2 cuillerée à café d'origan séché
150 g de beurre - Moutarde
Sel, poivre

Temps de préparation : 20 mn.

1. Dans un grand plat creux, mélangez la farine, tous les aromates, du sel et du poivre. Hachez finement les noix de pécan et répartissez-les sur le plat.

2. Ôtez la peau des ailes de poulet et panez-les dans la préparation précédente.

3. Mettez le beurre à fondre dans une grande poêle et faites-y sauter les ailes de poulet jusqu'à ce qu'elles soient dorées et croustillantes à point. Égouttez-les sur du papier absorbant et servez-les immédiatement avec de la moutarde.

Jambon à l'américaine

1 beau jambon (d'environ 3 kg)
5 clous de girofle
5 cuillerées à soupe de moutarde forte
100 g de sucre roux
3 cuillerées à soupe de jus d'ananas ou de pomme
250 g d'abricots séchés (ou de pruneaux)
25 cl de madère

Temps de préparation : 1 h 45 mn.

1. Ôtez toute la peau du jambon. Incisez le gras à l'aide d'un couteau pointu et lardez de clous de girofle. Tartinez tout le jambon avec 4 cuillerées à soupe de moutarde, poudrez de sucre et laissez en attente.

2. Préchauffez le four (th. 4/5). Versez le jus d'ananas ou de pomme dans la lèchefrite et posez-y le jambon. Faites cuire pendant 1 heure, en arrosant fréquemment avec le jus de cuisson.

3. Pendant ce temps, mettez les abricots dans une casserole, mouillez avec le madère et portez à ébullition le temps qu'ils gonflent. Éteignez le feu, couvrez la casserole et laissez macérer.

4. Quand le jambon a cuit 1 heure, égouttez les abricots et versez leur jus sur le jambon. Faites cuire encore 30 minutes au moins, en arrosant régulièrement.

5. Sortez le jambon du four et découpez-le en fines tranches à l'aide d'un couteau électrique. Enroulez les tranches sur elles-mêmes et maintenez-les fermées à l'aide d'une pique en bois sur laquelle vous aurez enfilé un abricot. Déglacez le jus de cuisson avec le reste de moutarde et arrosez les tranches de jambon de cette sauce.

Pinces de crabe sauce piquante

Environ 1 kg de pinces de crabe cuites surgelées
5 cuillerées à soupe d'huile d'olive
3 cuillerées à soupe de vinaigre
2 cuillerées à soupe de jus de citron
2 gouttes de Tabasco
2 gouttes de Worcestershire sauce
3 échalotes
3 brins de persil
1 branche de céleri
1 brin de thym
1 gousse d'ail
Sel, poivre du moulin

A préparer la veille.
Temps de préparation : 45 mn.

1. Laissez décongeler les pinces de crabe à température ambiante.

2. Pendant ce temps, préparez la marinade : faites chauffer l'huile dans une petite casserole. Pelez et émincez l'ail, les échalotes. Lavez le céleri et émincez-le ; lavez le persil et hachez-le ; émiettez la branche de thym. Versez le tout dans l'huile chaude et faites rissoler très légèrement, sans laisser l'échalote prendre couleur. Hors du feu, versez le jus de citron, le vinaigre, le Tabasco et la Worcestershire sauce. Salez, poivrez et remuez bien.

3. Décortiquez soigneusement les pinces de crabe à l'aide d'un casse-noix et étalez-les dans un grand plat creux ; arrosez-les immédiatement avec la sauce, couvrez le plat et placez-le au frais toute une nuit.

4. Le lendemain, égouttez légèrement les pinces de crabe et servez-les avec des tranches de pain de campagne grillées et tièdes.

Délice glacé à l'ananas

1 bel ananas bien mûr
2 blancs d'œuf
150 g de sucre roux
50 cl d'eau

A préparer la veille.
Temps de préparation : 25 mn.

1. Pelez soigneusement l'ananas. Retirez les yeux et la tige centrale un peu dure. Coupez la pulpe en petits dés et passez-la au mixer.

2. Dans une casserole, mettez l'eau et le sucre, et faites chauffer environ 5 minutes à feu fort. Quand le liquide a pris la consistance d'un sirop léger, retirez-le du feu. Mélangez-le à la chair d'ananas et placez la préparation au congélateur, en remuant de temps à autre.

3. Le lendemain, battez les blancs en neige bien ferme. Placez la pulpe d'ananas dans le bol du mixer et faites fonctionner l'appareil jusqu'à ce qu'elle « éclate ». Mélangez avec les blancs d'œufs en neige en soulevant délicatement la préparation, puis replacez dans le congélateur pour 1 heure au minimum.

Buffet mexicain
Pour 6 à 8 personnes

Guacamole

4 avocats bien mûrs
1 oignon moyen
Le jus de 3 citrons verts
2 petites tomates bien mûres
1 bouquet de coriandre fraîche
Sel

Temps de préparation : 20 mn.

1. Ébouillantez les tomates, pelez-les, épépinez-les et coupez-les en tout petits dés.

2. Hachez finement l'oignon et la coriandre.

3. Ouvrez les avocats en deux, ôtez leur noyau et prélevez la chair à l'aide d'une petite cuillère ; réduisez en fine purée, puis ajoutez les dés de tomate, l'oignon et la coriandre hachés, du sel et le jus des citrons verts. Couvrez et laissez au frais jusqu'au moment de servir.

Notre conseil
Comme toutes les préparations à base d'avocat, le guacamole a tendance à noircir rapidement... sauf si vous y enfouissez les noyaux.

Salade aux haricots rouges

1 boîte de haricots rouges
1 petite boîte de maïs
1 oignon rouge
1 piment Chili
1 bouquet de coriandre
1 bol de vinaigrette

Temps de préparation : 10 mn.

1. Ouvrez les boîtes de haricots rouges et de maïs. Rincez les légumes sous l'eau fraîche et égouttez-les.

2. Pelez l'oignon et émincez-le finement. Ouvrez le piment en deux et grattez les graines. Hachez la pulpe.

3. Mélangez tous les ingrédients et versez la vinaigrette. Ciselez la coriandre sur la salade.

Tacos

12 à 16 coquilles de tacos (disponibles dans les grandes surfaces)
200 g de mimolette
300 g de viande de bœuf hachée
3 tomates
1 salade verte
1 mélange d'épices pour chili con carne
1 bol de guacamole (voir recette ci-contre)

Temps de préparation : 20 mn.

1. Faites cuire la viande hachée avec les épices et 1 verre d'eau pendant 15 minutes.

2. Ébouillantez les tomates, pelez-les, épépinez-les et coupez la pulpe en tout petits dés.

3. Effeuillez la salade et coupez-la en grosses lanières. Râpez grossièrement la mimolette.

4. Dans de grands raviers, répartissez la viande hachée, les dés de tomate, la salade, le guacamole et la mimolette. Présentez avec les coquilles de tacos : chacun les garnira selon ses goûts.

Galettes au maïs

2 épis de maïs crus très frais
3 œufs
2 dl de lait
2 cuillerées à soupe de Maïzena (ou de fécule de pomme de terre)
10 g de beurre ou d'huile
Sel, poivre de Cayenne

Temps de préparation : 25 mn.

1. Égrenez les épis de maïs : tenez-les fermement bien droits, puis faites glisser un couteau à longue lame de haut en bas ; récupérez les grains et jetez le tronc central.

2. Dans un grand saladier, battez les œufs avec le lait, la Maïzena, du sel et du poivre. Lorsque le mélange est bien homogène, versez-y les grains de maïs et enveloppez-les de cette crème.

3. Dans une grande poêle, faites chauffer le beurre ou l'huile. Répartissez des petits tas de pâte en les espaçant suffisamment, puis aplatissez-les avec le dos d'une cuillère pour leur donner la forme de petites galettes de 6 cm de diamètre.

4. Lorsque les galettes sont dorées sur leurs deux faces, enveloppez-les de papier aluminium jusqu'au moment de servir.

Notre conseil
Accompagnez de la salade aux haricots rouges et de maïs, ou encore d'oignons nouveaux avec leur tige verte. Vous pouvez également enrichir ces galettes en y ajoutant du poulet très finement émincé.

Crêpes à la « cajeta »

1 boîte de lait condensé sucré pour 6 à 8 crêpes

Temps de préparation : 3 h.

1. Immergez totalement la boîte de lait condensé sucré dans une casserole d'eau froide. Placez la casserole sur le feu et maintenez à douce ébullition pendant environ 3 heures, en rajoutant régulièrement de l'eau pour que la boîte soit toujours entièrement recouverte (sinon, elle risquerait d'exploser).

2. Laissez refroidir et servez avec les crêpes ou galettes de maïs de la recette précédente.

Notre conseil
Cette spécialité mexicaine est évidemment très sucrée. Elle paraîtra moins écœurante à certains si elle est dégustée avec un assortiment de fruits exotiques.

Cocktail traditionnel
Pour 12 personnes

Cocktail au vin et aux fruits rouges

2 bouteilles de vin blanc d'Alsace (gewurztraminer, par exemple)
80 g de sucre de canne roux en poudre
1 verre de kirsch
1 kg de fraises
1 petite barquette de framboises
1 bouteille de crémant d'Alsace bien frais

A préparer la veille.

Temps de préparation : 20 mn.

1. Équeutez les fraises et lavez-les. Réservez-en la moitié au frais pour le lendemain et coupez le reste en petits morceaux. Répartissez-les dans une grande jatte avec les framboises lavées. Recouvrez-les de kirsch, saupoudrez-les de sucre et mouillez avec le vin blanc. Mélangez délicatement pour ne pas écraser les fruits. Couvrez et placez au réfrigérateur toute la nuit.

2. Le lendemain, disposez les fraises entières dans une coupe et sortez la jatte du réfrigérateur. Filtrez la boisson à l'aide d'une passoire fine et versez sur les fraises entières. Ajoutez le crémant d'Alsace bien frappé à la dernière minute et répartissez le cocktail dans de belles coupes à l'aide d'une louche.

Kir de Bourgogne et Kir royal

Pour ceux qui n'auraient pas le temps de préparer le cocktail ci-dessus, nous conseillons les apéritifs suivants : un vin blanc type pouilly-fuissé ou un crémant-de-bourgogne servi avec de la crème de cassis ou de mûres.

Canapés au roquefort

12 cerneaux de noix
120 g de roquefort
30 g de beurre mou
3 cuillerées à soupe de crème fraîche
1 cuillerée à soupe de cognac
6 tranches de pain de mie

Temps de préparation : 15 mn.

1. Hachez finement 8 cerneaux de noix et coupez les autres en deux.

2. Écrasez à la fourchette le roquefort, le beurre et mélangez-les à la crème fraîche, le cognac et la poudre de noix. Réservez au frais.

3. Au moment de préparer le buffet, retirez la croûte du pain de mie ; étalez sur les tranches la crème au roquefort. Recoupez en triangles et décorez d'un demi-cerneau de noix.

Toasts Parmentier

4 belles pommes de terre (BF15 ou Roseval)
50 g de girolles (facultatif)
2 cuillerées à soupe d'huile d'olive
100 g de tapenade
Quelques brins de ciboulette fraîche
Feuilles de salade verte lavées et séchées
Sel, poivre

Temps de préparation : 15 mn.

1. Épluchez les pommes de terre et coupez-les en rondelles. Si vous avez des girolles, n'utilisez que les chapeaux : passez-les sous l'eau du robinet, essuyez-les et gardez-les entières.

2. Dans une grande poêle, faites chauffer l'huile et mettez-y à revenir les rondelles de pommes de terre sur leurs deux faces, sans les écraser. Lorsqu'elles sont dorées, ajoutez les girolles et faites-les sauter rapidement. Salez, poivrez et couvrez la poêle.

3. Coupez la ciboulette en fins tronçons et mélangez à la tapenade.

4. Présentez les rondelles de pommes de terre sur un lit de salade verte très finement ciselée ; étalez sur chaque rondelle un peu de tapenade et décorez d'une girolle.

Toasts aux crevettes

100 g de crevettes roses décortiquées
2 cuillerées à soupe de mayonnaise
1 cuillerée à soupe de crème fraîche
1 cuillerée à café de coulis ou de concentré de tomate
50 g de gruyère râpé
1 pincée de paprika
4 tranches de pain de campagne
Sel, poivre

Temps de préparation : 15 mn.

1. Coupez les crevettes en petits morceaux et mélangez-les avec la mayonnaise, la crème fraîche et le coulis ou le concentré de tomate.

2. Mélangez le fromage râpé avec le paprika, du sel et du poivre. Mélangez ensuite soigneusement les deux préparations.

3. Faites griller les tranches de pain sur leurs deux faces, étalez dessus la préparation aux crevettes, puis découpez en languettes.

Toasts au foie gras

12 tranches de pain de mie
1 petite boîte de mousse de foie gras (ou mieux de foie gras mi-cuit)
1 dl de gelée
1 petite boîte de pelures de truffe (facultatif)

Temps de préparation : 15 mn.

1. Faites ramollir la mousse de foie gras afin de l'étaler facilement sur les tranches de pain de mie.

2. Une fois cette opération faite, déposez un peu de pelures de truffe au centre des toasts, lustrez avec la gelée et découpez les tranches en triangles.

Gâteau au crabe

2 cuillerées à soupe de Maïzena
4 œufs
1 boîte de miettes de crabe
3 cuillerées à soupe de crème fraîche
1 dl de lait tiède
1 pincée de paprika ou de curry
10 g de beurre ou d'huile
Sel, poivre du moulin

Temps de préparation : 1 h.

1. Préchauffez le four (th. 5). Battez les œufs, la Maïzena, la crème fraîche, le lait, le paprika ou le curry, du sel et du poivre dans une grande jatte. Ajoutez le crabe bien égoutté et mélangez bien pour former une pâte crémeuse.

2. Beurrez ou huilez un moule à manqué et versez-y la préparation. Placez le moule dans un bain-marie et enfournez pendant 40 à 45 minutes.

3. Sortez le moule du four et laissez refroidir. Glissez la pointe d'un couteau sur le pourtour et démoulez en retournant d'un coup sec. Découpez alors en fines tranches.

Notre conseil
Pour une jolie présentation de ce gâteau au crabe, nous conseillons de disposer des lamelles d'avocat et des bouquets de crevettes roses décortiquées entre chaque tranche.

Une autre présentation, également très appréciée, consiste à servir ce gâteau avec un coulis de tomate dont vous trouverez la recette page 24 (omelette à la tomate).

Une recette de plus
Petits chaussons au saumon, page 92.

Pain de viande

200 g de bifteck haché
200 g de veau haché
100 g d'agneau haché
150 g de porc maigre haché
2 œufs
1 cuillerée à café de levure
1 pincée de noix muscade râpée
20 g de chapelure
1/2 poivron rouge
1 petit oignon nouveau
4 feuilles de basilic
4 brins de coriandre
1 cuillerée à soupe d'huile d'olive
10 g de beurre ou d'huile
Sel, poivre

Temps de préparation : 50 mn.

1. Battez les œufs en omelette, ajoutez la levure, la noix muscade, la chapelure, du sel et du poivre. Pelez et épépinez le poivron.

2. Dans le bol du mixer, hachez le poivron, l'oignon, le basilic, la coriandre fraîche avec l'huile d'olive. Ajoutez les œufs battus et actionnez à nouveau l'appareil.

3. Préchauffez le four (th. 5). Beurrez ou huilez un grand moule à cake.

4. Placez toutes les viandes dans un grand saladier et ajoutez-y le contenu du mixer. Mélangez longuement tous les ingrédients pour que les saveurs se mêlent parfaitement.

5. Versez cette préparation dans le moule à cake et enfournez pour 35 minutes.

6. Lorsque le pain est cuit, sortez-le du four et laissez-le refroidir. Au moment de servir, démoulez et coupez en fines tranches.

Notre conseil
Le pain de viande peut être façonné à la main sous la forme grossière d'une miche de pain (voir la photo) ; une fois cuit, il sera servi sur un lit de feuilles de salade verte.

Délice aux fruits rouges

200 g de fraises
200 g de framboises
200 g de mûres
200 g de groseilles ou de cassis
100 g de sucre
1 cuillerée à soupe de jus de citron
12 feuilles de menthe
1,5 l de glace à la vanille

Temps de préparation : 15 mn.

1. Équeutez et nettoyez tous les fruits. Rangez-les dans un grand plat creux, aspergez-les de jus de citron et saupoudrez-les de sucre. Placez le plat au frais.

2. Au moment de servir, détaillez la glace à la vanille en tranches ou en boules, disposez-les sur des assiettes à dessert ou dans des coupes à pied, répartissez les fruits rouges, arrosez de jus et décorez avec les feuilles de menthe ciselées.

Notre conseil
Grattez bien le fond du plat et, au besoin, détendez le jus avec un peu d'eau tiède.

Délice aux oranges et au chocolat

1 pain de 1 l de glace à la vanille
3 oranges bien juteuses
1 sachet de sauce au chocolat

Temps de préparation : 7 mn.

1. Pelez les oranges à vif, coupez-les en fines rondelles et ôtez-en les pépins.

2. Étalez le pain de glace sur un plat à dessert.

3. Faites réchauffer la sauce au chocolat et disposez les rondelles d'orange sur et autour de la glace.

4. Au moment de servir, nappez la glace et les oranges de sauce au chocolat. Le mélange chaud-froid est délicieux !

Tartare de saumon aux œufs de saumon

300 g de chair de saumon très frais (filets ou pavés)
50 g d'œufs de saumon
2 cuillerées à soupe d'huile d'olive
1 cuillerée à soupe de jus de citron
1 cuillerée à soupe d'aneth haché
Sel, poivre du moulin
Mini-blinis achetés tout prêts

Temps de préparation : 25 mn.

1. Ôtez toutes les arêtes et la peau du saumon ; hachez la chair, au couteau de préférence – le hachoir la détériorerait.

2. Dans un saladier, mélangez l'huile, le jus de citron, l'aneth, du sel et du poivre fraîchement moulu. Ajoutez le hachis de poisson et les œufs de saumon. Mélangez très délicatement.

3. Servez ce tartare sur des mini-blinis réchauffés dans le four à micro-ondes.

Hoummous

200 g de pois chiches en conserve
2 gousses d'ail
Le jus de 2 citrons
2 cuillerées à soupe d'huile de sésame
3 cuillerées à soupe d'huile d'olive
1 cuillerée à café de paprika doux
Sel

Temps de préparation : 25 mn.

1. Sortez les pois chiches de leur boîte, égouttez-les en réservant leur jus, rincez-les sous l'eau du robinet et mettez-les dans une passoire.

2. Pelez et hachez l'ail ; versez dessus l'huile de sésame, le jus de citron et un peu de sel ; émulsionnez parfaitement au fouet métallique ou électrique.

3. Dans le bol d'un robot électrique, mettez les pois chiches et un peu de leur jus. Ajoutez la sauce à

l'huile de sésame et actionnez l'appareil jusqu'à ce que la pâte devienne crémeuse et homogène. Versez-la dans un plat de service creux et mettez-la au réfrigérateur pour qu'elle durcisse.

4. Au moment de servir, façonnez un creux au centre de l'hoummous et versez-y l'huile d'olive. Saupoudrez le pourtour de paprika doux.

Notre conseil
Servez cette spécialité libanaise avec des « pitas » (sortes de galettes non levées) réchauffées et coupées en morceaux.

Sardines crues marinées

18 sardines détaillées en filets
Pour la marinade
2 cuillerées à soupe de jus de citron
6 cuillerées à soupe d'huile d'olive
1 feuille de laurier émiettée
1 carotte pelée et hachée
Baies de poivre rose
Sel, poivre

A préparer la veille.

Temps de préparation : 25 mn.

1. Si votre poissonnier n'a pas préparé les sardines, coupez-leur la tête et la queue, ouvrez-les en deux, ôtez l'arête centrale, puis éliminez les arêtes latérales avec une pince à épiler, et retirez la peau.

2. Mettez tous les éléments de la marinade dans une grande terrine en porcelaine à feu et couvrez.

3. Allumez le four (th. 5) et mettez-y à chauffer la marinade à peine 10 minutes.

4. Sortez la terrine du four, rangez-y les filets de sardine, couvrez et placez au frais, si possible 12 heures. Servez avec des toasts grillés légèrement beurrés.

Une recette de plus
Satsiki, page 93.

Tarte fine aux poires et aux amandes

8 poires mûres
100 g de sucre
1 cuillerée à café de vanille en poudre
50 cl d'eau
1 grosse noix de beurre
Pour la pâte
250 g de farine
100 g de beurre mou
60 g de sucre
2 œufs - 2 pincées de sel
Pour la crème d'amande
80 g de beurre mou
80 g de sucre glace
120 g d'amandes en poudre
2 œufs
2 cuillerées à soupe de rhum

Temps de préparation : 1 h.

1. Préparez la pâte : travaillez le beurre avec le sel et le sucre pendant 1 minute. Cassez l'œuf dessus et malaxez encore 1 minute. Versez la farine en une seule fois et mélangez du bout des doigts. Laissez reposer 15 minutes au frais.

2. Portez l'eau à ébullition et faites-y fondre le sucre et la vanille. Pelez les poires, épépinez-les, coupez-les en quartiers et faites-les pocher 5 minutes dans l'eau sucrée. Égouttez-les soigneusement.

3. Préparez la crème d'amande : mélangez le sucre glace et les amandes en poudre ; incorporez le beurre en pommade et travaillez 1 minute. Ajoutez ensuite l'œuf et le rhum, et mélangez bien.

4. Préchauffez le four (th. 7). Étalez la pâte et tapissez-en un moule à tarte beurré. Versez dessus la crème d'amande, puis disposez les poires découpées en lamelles.

5. Enfournez pour une trentaine de minutes, le temps que les poires soient légèrement dorées. Sortez la tarte du four, quand elle a refroidi, poudrez-la de sucre glace.

Barbecues
Pour 8 personnes

Fantaisies autour des tomates cerises

• **en brochettes :** lavez-les, séchez-les, embrochez-les sur des piques en bois et alternez-les avec des olives noires, des crevettes décortiquées, des mini-boules de mozzarella, des feuilles de basilic, des morceaux de poivrons verts ou rouges, des dés de fromage enroulés dans du cumin en poudre, etc.

• **fourrées :** lavez et séchez-les, évidez-les avec une petite cuillère, fourrez-les d'œufs brouillés parsemés de ciboulette hachée, d'œufs de caille durs et coupés en deux, de tartare de thon ou de saumon (hachez le poisson avec des herbes aromatiques, de l'huile d'olive et un filet de jus de citron vert, salez et poivrez), d'œufs de lump ou de saumon.

Petites barquettes aux gambas

16 barquettes de fabrication artisanale ou achetées en grandes surfaces
200 g de gambas et de crevettes roses décortiquées
1 cuillerée à soupe de xérès
Sel, poivre du moulin
Du mesclun ou de la salade variée (feuilles de chêne, roquette, pissenlit, etc.)

Temps de préparation : 10 mn.

1. Faites mariner les gambas et les crevettes dans le xérès ; salez, poivrez, couvrez et laissez reposer au moins 30 minutes en remuant de temps en temps.

2. Nettoyez la salade ; essorez-la et ciselez grossièrement les feuilles.

3. Faites griller les gambas sur un barbecue et décortiquez-les en gardant seulement leur queue.

4. Égouttez les crevettes, garnissez le fond des barquettes de feuilles de salade et posez au-dessus gambas et crevettes.

Brochettes de boulettes d'agneau

800 g de viande d'agneau (épaule ou selle)
1 pincée de girofle, de noix muscade, de curcuma
1 gousse d'ail pelée et hachée
2 petits oignons pelés et hachés
2 cuillerées à soupe de coriandre fraîche, ciselée
2 cuillerées à soupe de persil plat haché
30 g de mie de pain de campagne
1 citron vert
20 cl d'huile d'olive

Temps de préparation : 1 h 40 mn.

1. Hachez finement la viande avec les épices et les herbes. Humidifiez le pain et ajoutez-le au hachis ; mélangez bien le tout.

2. Préparez la marinade ; coupez le citron en fines rondelles et posez-les sur un plat. Versez-y l'huile d'olive… laissez en attente.

3. Formez des boulettes rondes et laissez-les mariner dans le plat pendant 1 heure au minimum.

4. Au moment de la cuisson, égouttez légèrement les boulettes et embrochez-les sur des piques de métal. Le nombre de boulettes sur chaque brochette dépendra de la taille et de la forme données.

5. Faites cuire ces brochettes délicieusement parfumées sur des sarments de vigne, si possible, et arrosez-les de temps à autre avec leur marinade.

Voici d'autres brochettes que vous pouvez préparer

• **au poulet Tandouri**
marinade : yaourt + poudre à Tandouri + ail ; coupez les filets de poulet en gros cubes et laissez-les mariner pendant 1 heure.

• **au bœuf**
marinade : huile d'olive, jus de citron, thym émietté, ail haché, poivre ; coupez le bœuf en gros cubes et laissez-les mariner pendant 1 heure.

Brochettes de fruits frais

En été
3 abricots - 6 fraises
1 ananas - 3 pêches
En hiver
3 pommes - 3 poires - 3 bananes
3 oranges
100 g de miel liquide
2 cuillerées à soupe de jus de citron
Parfum au choix : cannelle, vanille, fleur d'oranger, kirsch, etc.

Temps de préparation : 10 mn.

1. Pour cette recette, la liste des fruits n'est pas limitative. Choisissez évidemment des fruits de saison bien mûrs et bien juteux. Épluchez les fruits et coupez-les en cubes de taille égale à l'exception des fraises que vous garderez entières ; équeutez-les.

2. Mélangez le miel avec le jus de citron et le parfum de votre choix ; faites-y macérer les cubes de fruits, couverts, pendant au moins 2 heures. Retournez-les de temps en temps.

3. Embrochez-les sur des piques en métal, en alternant couleurs et saveurs, et replacez-les dans la macération, couverts d'une feuille de papier aluminium jusqu'au moment de les faire cuire, au barbecue ou sous le gril de votre four. Retournez-les pour que les brochettes soient bien caramélisées sur toutes leurs faces.

Une recette de plus
« Bruschetta » ou petits toasts à l'italienne, page 92.

Brunch

Pour 6 personnes

Jus d'agrumes frais

1 pamplemousse
2 oranges - 1/2 citron
Sucre ou miel
Glace pilée

Temps de préparation : 10 mn.

1. Épluchez à vif le pamplemousse, les oranges et le citron. Ôtez les gros pépins et coupez la pulpe en morceaux. Mettez dans une centrifugeuse et actionnez l'appareil. Versez le jus recueilli dans une carafe, sucrez selon votre goût avec du sucre ou du miel.
2. Ajoutez la glace pilée et servez.

Cocktail d'ananas

1 petit ananas frais de la Réunion
1 grappe de raisin blanc (muscat, chasselas)
1/2 beau melon
2 cuillerées à soupe de jus de citron
Glace pilée

Temps de préparation : 15 mn.

1. Épluchez l'ananas, coupez-le en quartiers et n'ôtez la partie centrale que si elle est dure. Coupez la pulpe en gros morceaux.
2. Égrenez le raisin. Épluchez le melon, épépinez-le et coupez-le en gros morceaux.
3. Mettez les fruits dans la centrifugeuse et actionnez l'appareil. Versez le jus recueilli dans une carafe.
4. Ajoutez la glace pilée et servez.

Cocktail d'abricots

8 abricots
2 belles grappes de raisin noir
2 poires
Glace pilée

Temps de préparation : 10 mn.

1. Lavez les abricots, ouvrez-les en deux et dénoyautez-les. Coupez-les en morceaux.

2. Lavez le raisin et égrenez-le.
3. Lavez les poires, ne les pelez pas, coupez-les en morceaux et ôtez les gros pépins.
4. Mettez tous les fruits dans la centrifugeuse et actionnez l'appareil. Versez le jus recueilli dans une carafe.
5. Ajoutez la glace pilée et servez.

Œufs cocotte au maïs et au coulis provençal

6 œufs
10 cl de purée de tomate épaisse
5 feuilles de basilic
1/2 cuillerée à café de curry
2 pincées de paprika
1 boîte de maïs en grains
1/2 poivron rouge
1/2 poivron vert
1 cuillerée à soupe de crème fraîche
30 g de beurre
Sel, poivre

Temps de préparation : 30 mn.

1. Lavez, épépinez, puis coupez les poivrons en petits dés. Faites fondre le beurre dans une poêle et mettez-y à revenir le maïs bien égoutté et les dés de poivron. Ciselez les feuilles de basilic finement.
2. Cassez les œufs dans des ramequins individuels ; salez et poivrez. Déposez les ramequins dans un bain-marie sur le feu, de façon qu'ils soient immergés aux deux tiers. Lorsque l'eau bout, comptez 5 à 6 minutes de cuisson.
3. Dans une casserole, faites chauffer doucement la purée de tomate avec le basilic, la crème fraîche, le curry et le paprika. Remuez.
4. Déposez sur chaque assiette un lit de poivron et de maïs. Faites glisser les œufs dessus. Nappez de coulis et servez immédiatement.

Crumble

800 g de pommes
2 cuillerées à soupe de confiture d'abricot
100 g de raisins secs
1 pincée de cannelle
120 g de sucre
100 g de farine
150 g de beurre mou

Temps de préparation : 1 h 10 mn.

1. Épluchez les pommes, épépinez-les et coupez-les en petits dés.
2. Mélangez les pommes avec la confiture d'abricot, la cannelle et les raisins secs.
3. Malaxez du bout des doigts le sucre, la farine et le beurre mou coupé en petits dés jusqu'à ce que vous obteniez un mélange friable.
4. Beurrez un moule, versez-y le mélange aux pommes et recouvrez des miettes de pâte.
5. Préchauffez le four (th. 5) et faites-y cuire le crumble 40 minutes.

Fraises gourmandes

1 kg de fraises bien mûres
1/2 pot de yaourt
100 g de crème fraîche
50 g de miel
50 g de cassonade
Le jus de 1 citron
6 feuilles de menthe hachées

Temps de préparation : 10 mn.

1. Lavez soigneusement les fraises, séchez-les sur du papier absorbant et mettez-les dans une belle coupe.
2. Mettez le yaourt, la crème fraîche, le miel, la cassonade, le jus de citron et la menthe hachée dans de petites coupelles, et disposez autour du récipient de fraises ; chacun se servira et trempera ses fraises dans l'accompagnement de son choix.

Menu tout-poissons
Pour 8 personnes

Huîtres à la brûle aux doigts

24 huîtres
Gros sel
3 cuillerées à soupe de crème fraîche
1 cuillerée à soupe de persil plat haché
1 cuillerée à soupe de ciboulette hachée
8 tranches de pain de campagne
8 saucisses (facultatif)
Sel, poivre du moulin

Temps de préparation : 20 mn.

1. Préchauffez le four (th. 7). Étalez le gros sel dans un grand plat creux et calez-y les huîtres. Enfournez pour 7 à 8 minutes.

2. Préparez la sauce : mélangez la crème fraîche, le persil et la ciboulette ; salez et poivrez.

3. Quand les huîtres sont ouvertes, sortez le plat du four. Faites griller les tranches de pain et les saucisses.

4. Détachez les huîtres de leur coquille à l'aide d'un petit couteau pointu et servez-les telles quelles ; chacun se servira avec une pique en bois, trempera les huîtres dans la sauce aux herbes et les dégustera avec le pain grillé et les saucisses.

Sardines farcies

24 sardines écaillées et vidées
1 belle poignée d'épinards
2 cuillerées à soupe de pignons de pin
2 cuillerées à soupe de crème fraîche
2 cuillerées à soupe de coriandre
1 verre de vin blanc
30 g de beurre
Sel, poivre

Temps de préparation : 30 mn.

1. Lavez les épinards et séchez-les ; ciselez-les finement. Mélangez-les avec les pignons de pin, la crème fraîche, la coriandre, du sel et du poivre. Séchez les sardines et emplissez-les de farce.

2. Préchauffez le four (th. 5). Beurrez un plat allant au four, rangez-y les sardines, couvrez de vin blanc et enfournez 12 minutes.

3. Sortez le plat du four et laissez refroidir. Servez avec des toasts grillés.

Rascasse au soja et aux courgettes

1 belle rascasse émincée en fines lamelles par le poissonnier
4 courgettes
2 cuillerées à soupe de sauce soja
2 cuillerées à soupe d'huile d'olive
Le jus de 2 citrons verts
1 cuillerée à soupe de ciboulette ciselée

Temps de préparation : 15 mn.

1. Faites mariner les lamelles de rascasse dans la sauce soja.

2. Lavez les courgettes ; avec un couteau économe, détaillez-les en fines lamelles. Plongez-les dans l'eau bouillante pendant 2 minutes. Égouttez-les et séchez-les.

3. Dans un plat de service, disposez joliment les lamelles de rascasse égouttées et les courgettes.

4. Émulsionnez l'huile d'olive avec le jus de citron, ajoutez la ciboulette et la sauce soja de macération. Versez cette sauce sur la rascasse et les courgettes.

Criques de thon

8 pommes de terre cuites ou crues
5 œufs
5 cuillerées à soupe de crème fraîche épaisse
300 g de thon à l'huile égoutté et grossièrement émietté
3 cuillerées à soupe de persil plat haché
50 g de beurre - Sel, poivre

Temps de préparation : 30 mn.

1. Épluchez les pommes de terre, lavez-les, séchez-les et râpez-les.

2. Battez les œufs et la crème fraîche dans une terrine. Ajoutez le thon, le persil, du sel, du poivre et les pommes de terre râpées.

3. Faites fondre le beurre dans une grande poêle. Déposez des petits tas de pâte et étalez-les avec le dos d'une cuillère pour former des galettes. Faites cuire sur chaque face pendant 3 à 4 minutes si les pommes de terre sont cuites, 10 à 12 minutes si elles sont crues. Lorsqu'elles sont dorées, séchez les galettes sur du papier absorbant, enveloppez-les dans du papier aluminium et gardez-les dans le four chaud éteint jusqu'au moment de servir.

Glace vanille à la confiture flambée au rhum

1,5 l de glace à la vanille
1/2 pot de confiture (abricots, fraises, framboises, etc.)
1 petit verre de rhum

A préparer la veille.

Temps de préparation : 15 mn.

1. Laissez la glace ramollir pendant quelques heures à température ambiante (elle ne doit pas être fondue mais facile à travailler). Divisez-la en quatre.

2. Dans un moule à charlotte, tassez bien un quart de la glace, couvrez avec un tiers de la confiture, puis de nouveau un quart de glace, et ainsi de suite en terminant par la glace.

3. Placez le moule dans le congélateur et laissez prendre pendant 12 heures environ.

4. Le lendemain, peu avant de servir, sortez le moule du congélateur et réservez à température ambiante.

5. Faites chauffer le rhum dans une casserole. Démoulez la glace sur un plat creux. Flambez le rhum et versez-le immédiatement sur la glace.

Menu moins de 30 minutes
Pour 6 personnes

Tomates, concombres et radis noirs farcis

6 tomates moyennes

1 concombre

1 radis noir

Le jus de 1 citron

1 petit pot de tapenade

1 petit pot de tarama

1 petit pot d'œufs de lump ou de saumon

1 tube de crème d'anchois

Quelques olives niçoises

Quelques tiges de ciboulette

Temps de préparation : 10 mn.

1. Lavez et essuyez les tomates et le concombre. Coupez les tomates en deux, puis creusez-les avec une cuillère pour les épépiner sans atteindre la chair. Retournez les demi-tomates sur un papier absorbant et laissez-les en attente.

2. Éliminez les extrémités du concombre et coupez-le en deux dans le sens de la longueur ; épépinez-le, puis coupez-le en barquettes de 3 cm de large. Essuyez avec du papier absorbant.

3. Lavez soigneusement le radis noir, coupez-en les extrémités et essuyez-le avec du papier absorbant. Épluchez-le, puis coupez-le en fines lamelles dans le sens de la longueur à l'aide d'un couteau économe. Aspergez de jus de citron.

4. Sur un grand plat de service, disposez joliment les demi-tomates, les barquettes de concombre et les lamelles de radis noir.

5. Farcissez les demi-tomates et les barquettes de concombre de tapenade, de tarama, d'œufs de poisson ou de crème d'anchois.

6. Étalez de la tapenade et du tarama sur les lamelles de radis noir et fermez-les avec une pique en bois. Aspergez-les à nouveau de jus de citron.

7. Décorez avec les olives noires et la ciboulette ciselée.

Ravioles frites de Romans

36 petites ravioles de Romans (3 plaquettes de 12) toutes prêtes

1 verre d'huile d'olive

1 cuillerée à soupe d'herbes de Provence fraîches (thym, sauge, basilic, etc.)

Temps de préparation : 8 mn.

1. Séparez délicatement les ravioles en cassant les jointures en pointillé. Au besoin, aidez-vous d'un couteau à dents de scie.

2. Dans une sauteuse, faites chauffer l'huile d'olive et mettez-y les ravioles ; lorsqu'elles sont dorées à point de tous côtés, retirez-les avec une écumoire et égouttez-les sur du papier absorbant.

3. Placez les ravioles dans un grand plat de service et saupoudrez-les d'herbes de Provence hachées. Les ravioles sont meilleures si elles sont dégustées tièdes et non brûlantes. Servez-les avec de la salade bien croquante (romaine, par exemple) assaisonnée d'une vinaigrette bien relevée avec de l'ail, de l'échalote, des herbes fraîches hachées et, éventuellement, des lardons blanchis puis égouttés. N'oubliez pas les piques en bois.

Notre conseil

Les ravioles se font – dans la Drôme, dont elles sont originaires – habituellement cuire dans du bouillon de volaille. Elles sont égouttées et servies telles avec une noix de beurre.

Abricots au miel et au nougat glacé

8 abricots mûrs mais fermes (ou 8 abricots secs trempés dans de l'eau tiède)

4 cuillerées à soupe de miel d'acacia ou de lavande

4 cuillerées à soupe de coulis de cassis ou de fruit de la passion

10 g de beurre

4 cuillerées à soupe d'amandes effilées

1 pain de nougat glacé

Temps de préparation : 12 mn.

1. Lavez les abricots frais et séchez-les avec du papier absorbant. Coupez-les en deux et dénoyautez-les. (S'il s'agit d'abricots secs gonflés dans l'eau, égouttez-les, essuyez-les, puis coupez-les en oreillons). Sortez la glace du congélateur pour qu'elle ramollisse un peu.

2. Dans une casserole, versez le miel et faites-le chauffer sur feu moyen. Ajoutez les demi-abricots et laissez-les caraméliser 3 à 4 minutes en les retournant souvent pour bien les enrober de miel. Éteignez le feu, couvrez la casserole et laissez tiédir.

3. Faites fondre le beurre dans une poêle et mettez-y à griller les amandes, en secouant la poêle de temps à autre.

4. Lorsque les abricots sont juste tièdes, rangez-les dans des petits ramequins individuels (ou des coupelles). S'il reste du miel au fond de la casserole, répartissez-le sur les abricots.

5. Avec une cuillère à glace, prélevez des boules de nougat et posez-les au centre des abricots. Entourez d'un peu de coulis de cassis ou de fruit de la passion et parsemez d'amandes grillées.

Notre conseil

Des pêches ou des poires peuvent remplacer les abricots.

Repas télé
Pour 6 personnes

Roulades aux pruneaux

6 filets de poulet
12 très fines lamelles de jambon sec ou de jambon de Parme
12 pruneaux moelleux dénoyautés
1 cuillerée à soupe d'huile

Temps de préparation : 15 mn.

1. Découpez les filets de poulet en 12 escalopes fines. Posez sur chacune d'elles une lamelle de jambon puis un pruneau. Roulez les escalopes et attachez-les avec un brin de ficelle alimentaire ou une pique en bois.

2. Placez les roulades dans une poêle ou une sauteuse anti-adhésive très légèrement huilée et faites-les dorer 10 minutes au maximum.

3. Servez froid ou réchauffé quelques minutes au four à micro-ondes, après avoir retiré la ficelle.

Frites de pintade

4 suprêmes de pintade
1 cuillerée à soupe d'huile
2 cuillerées à soupe de persil plat haché
Sel, poivre

Temps de préparation : 15 mn.

1. Taillez les suprêmes en frites. Essuyez-les et faites-les frire 10 minutes au maximum dans une poêle anti-adhésive légèrement huilée (procédez en plusieurs fois, car les frites ne doivent pas se chevaucher). Secouez la poêle à mi-cuisson pour que les frites se retournent et soient dorées sur toutes leurs faces.

2. Salez, poivrez, saupoudrez de persil haché et présentez en buisson ou en dôme dans un grand plat creux.

Notre conseil

Les suprêmes de pintade sont l'équivalent des filets de poulet ou des magrets de canard. Ils s'achètent, au détail, chez la plupart des volaillers.

Goujonnettes de poisson

100 g de semoule fine de blé
1 œuf entier
300 g de chair de poisson blanc (cabillaud) ou rose (truite de mer)
Fines herbes fraîches
1 cuillerée à soupe d'huile
Sel, poivre

Temps de préparation : 15 mn.

1. Versez la semoule dans 25 cl d'eau bouillante salée et laissez cuire en tournant 5 à 7 minutes jusqu'à obtention d'une pâte épaisse et sèche.

2. Ajoutez le poisson finement émietté, du sel, du poivre et des herbes. Mélangez soigneusement, puis divisez cette préparation en 12 parts ; roulez-les en bâtonnets.

3. Dans une poêle anti-adhésive légèrement huilée, faites dorer les goujonnettes pendant 5 minutes sur toutes leurs faces. Servez immédiatement ou laissez refroidir et réchauffez au four à micro-ondes. Dégustez-les avec la sauce tartare.

Sauce tartare

2 œufs durs
1 cuillerée à café de moutarde
6 cuillerées à soupe d'huile
2 cuillerées à soupe de vinaigre
6 cornichons
1 cuillerée à soupe de câpres
1 cuillerée à soupe de ciboulette hachée
1 cuillerée à soupe d'estragon haché
1 cuillerée à soupe de cerfeuil haché
Sel, poivre

Temps de préparation : 25 mn.

1. Écalez les œufs, séparez les blancs des jaunes.

2. Mélangez dans le bol d'un mixer les jaunes avec la moutarde, salez, poivrez et actionnez l'appareil. Faites couler l'huile, par filets, et « montez » comme une mayonnaise ; ajoutez le vinaigre, actionnez de nouveau.

3. Coupez les cornichons en petits dés, hachez les câpres et mélangez tous les ingrédients, ainsi que les herbes dans la mayonnaise.

4. Hachez les blancs d'œufs et mélangez-les à la sauce. Versez la préparation dans un grand bol et placez-le au réfrigérateur.

Plateau de charcuteries

Présentez un assortiment aussi varié que possible : salami, mortadelle, saucisse sèche, saucisson à l'ail, andouillette, jambon, rillettes, pâtés... et bien sûr, les spécialités locales.

Gâteau à la carotte

300 g de carottes
50 g d'amandes décortiquées
50 g de noix décortiquées
100 g de raisins blonds secs
2 cuillerées à café de cannelle en poudre
3 œufs
200 g de sucre semoule
1 cuillerée à café de sel
30 cl d'huile
20 g de farine
1 noix de beurre

Temps de préparation : 1 h 15 mn.

1. Pelez et râpez les carottes.

2. Mettez l'huile, le sucre, les œufs et le sel dans une jatte ; battez-les jusqu'à ce que vous obteniez un mélange homogène et onctueux.

3. Hachez les amandes et les noix, puis ajoutez-les au mélange. Incorporez les raisins secs, la cannelle et les carottes râpées.

4. Préchauffez le four (th. 7). Versez la pâte dans un moule à manqué beurré et fariné.

5. Enfournez le gâteau pour 1 heure environ. Laissez-le refroidir avant de le découper en parts.

High tea
Pour 6 personnes

Le high tea est au soir ce que le brunch est au matin. C'est le goûter-dîner british, où le sucré se mêle au salé. A adopter pour un long dimanche d'hiver.

Petits sandwiches au cresson de fontaine et au fromage blanc

12 tranches de pain de mie complet
50 g de beurre salé
1/2 botte de cresson de fontaine
1 cuillerée à café de jus de citron
1 pincée de poivre
200 g de fromage blanc type cottage ou fermier

Temps de préparation : 20 mn.

1. Nettoyez le cresson et égouttez-le soigneusement. Séchez-le sur du papier absorbant et ciselez-le finement. Mélangez-le avec le fromage blanc, le jus de citron et le poivre.

2. Tartinez de beurre 6 tranches de pain et étalez dessus la préparation au fromage blanc ; couvrez avec les autres tranches de pain. Pressez légèrement pour que le pain adhère au fromage. Coupez les sandwiches en deux ou en quatre.

Petits sandwiches aux œufs brouillés

12 tranches de pain de mie blanc
50 g de beurre salé
4 œufs
1 cuillerée à soupe de lait
1 pincée de poivre

Temps de préparation : 15 mn.

1. Battez légèrement les œufs entiers avec le poivre et le lait. Dans une petite poêle, faites fondre 20 g de beurre et mettez-y à cuire les œufs, en les remuant sans cesse avec une spatule en bois.

2. Beurrez 6 tranches de pain et étalez dessus les œufs brouillés ; couvrez avec les autres tranches de pain. Pressez légèrement et coupez les sandwiches en deux ou en quatre.

Mini-crêpes à l'aneth et aux poissons fumés

12 blinis ou mini-crêpes
1 truite fumée
2 tranches d'espadon fumé
2 tranches de flétan fumé
1 morceau de haddock
2 tranches de saumon fumé
2 tranches de saumon mariné
2 rollmops
1 bouquet d'aneth
200 g de fromage blanc type cottage
Le jus de 1/2 citron
50 g d'œufs de saumon ou de lump
2 cuillerées à soupe d'huile d'olive
3 citrons verts - Sel, poivre

Temps de préparation : 20 mn.

1. Nettoyez l'aneth et égouttez-le soigneusement. Séchez-le sur du papier absorbant et ciselez-le finement. Mélangez-le avec le fromage blanc, le jus de citron, l'huile d'olive, du sel et du poivre.

2. Coupez les poissons fumés en tranches ou en petites escalopes et répartissez-les sur un plat. Placez au frais.

3. Faites cuire ou réchauffer les mini-crêpes et enveloppez-les dans du papier absorbant jusqu'au moment de les servir.

4. Au dernier moment, sortez les poissons fumés et les rollmops, présentez-les entourés des citrons verts coupés en huit. Présentez à part la sauce au fromage blanc, les œufs de saumon et les mini-crêpes. Chacun se servira à sa guise.

Cheese cake aux framboises et à la cannelle

150 g de petits-beurre ou de galettes bretonnes
100 g de beurre salé
30 g de sucre brun
1 cuillerée à soupe de cannelle
125 g de fromage blanc
6 petits-suisses
120 g de sucre en poudre
4 œufs
Le jus de 1/2 citron
1 pot de confiture de framboises
Framboises fraîches pour la décoration

Temps de préparation : 1 h.

1. Placez les biscuits dans le bol d'un mixer avec le beurre, le sucre brun et la cannelle. Réduisez en fine poudre et tassez dans le fond d'un moule à manqué.

2. Préchauffez le four (th. 5). Battez vigoureusement le fromage blanc avec les petits-suisses, le sucre en poudre, les œufs entiers et le jus de citron. Versez cette préparation dans le moule et enfournez pour 40 minutes environ.

3. Sortez le moule du four et laissez refroidir avant de démouler.

4. Faites glisser le gâteau sur un grand plat de service, nappez-le de confiture et décorez de framboises entières.

Notre conseil

Les boissons servies au high tea sont traditionnellement le thé et la bière. Rien ne vous empêche, cependant, d'ajouter un vin léger bien frais ou encore des jus de fruits fraîchement pressés.

Festin romain
Pour 8 personnes

Salades de fèves et de haricots verts

500 g de fèves surgelées
500 g de haricots verts frais ou surgelés
Pour la sauce brune
1 cuillerée à soupe d'huile d'olive
1 cuillerée à soupe de nuoc mâm (à l'origine du garum)
1 pincée de coriandre en poudre
1 pincée de cumin
1 cuillerée à soupe de ciboulette hachée
Pour la sauce au miel
1 cuillerée à café de moutarde (de Meaux si possible)
1 cuillerée à café de miel
Le jus de 1/2 citron
4 gouttes de vinaigre de vin
Sel, poivre

Temps de préparation : 20 mn.

1. Faites cuire les fèves et les haricots verts séparément à la vapeur pendant 10 minutes.

2. Préparez les deux sauces en émulsionnant tous leurs ingrédients respectifs. Préparez 4 saladiers ; dans chacun d'eux, versez la moitié de l'une des sauces : vous obtiendrez 4 salades différentes.

3. Versez la moitié des fèves dans la première sauce et l'autre moitié dans la deuxième. Faites de même avec les haricots verts. Mélangez le contenu de chaque saladier et mettez au frais jusqu'au moment de servir.

Moules de César

2 l de moules
1 cuillerée à soupe de nuoc mâm
3 blancs de poireau
3 cuillerées à café de cumin en poudre
1 verre de vin blanc sec
1 pincée de sarriette

Temps de préparation : 45 mn.

1. Grattez et ébarbez les moules. Lavez-les soigneusement. Coupez les blancs de poireau en fine julienne.

2. Placez dans un grand faitout tous les ingrédients. Quand les moules sont ouvertes, éteignez le feu, laissez-les refroidir et égouttez-les.

3. Passez le jus de cuisson au tamis et retirez les demi-coquilles qui ne contiennent pas les moules. Faites réduire sur feu doux le jus de cuisson.

4. Placez les demi-moules, coquilles en dessous, dans un grand plat creux. Arrosez avec le jus de cuisson réduit. Dégustez tiède ou froid.

Rognons et ris rôtis

4 rognons d'agneau (ou 1 rognon de veau) préparés par votre tripier et coupés en fines tranches
300 g de ris de veau ou d'agneau, parés et coupés en cubes
1 pincée de poivre de Cayenne
1 pincée de coriandre en poudre
1 pincée de cumin en poudre
2 cuillerées à soupe de pignons de pin
2 cuillerées à soupe d'huile d'olive
1 cuillerée à soupe d'huile d'arachide
Sel, poivre

Temps de préparation : 50 mn.

1. Dans un plat creux, mélangez le poivre de Cayenne, la coriandre, le cumin, les pignons de pin, du sel et du poivre, puis émulsionnez avec l'huile d'olive. Mettez-y à mariner les rognons et les ris pendant une trentaine de minutes.

2. Sur feu vif, faites griller dans un peu d'huile les tranches de rognon et les dés de ris de veau. Retournez-les pour qu'ils soient dorés de toutes parts. Égouttez-les sur du papier absorbant et posez-les dans un grand plat creux. Servez immédiatement.

Flans au miel

6 œufs
1 l de lait
1 sachet de sucre vanillé
30 g de miel
30 g de cerneaux de noix concassés
1 pincée de poivre

Temps de préparation : 35 mn.

1. Préparez un bain-marie à four doux (th. 4/5).

2. Cassez les œufs dans un grand saladier et battez-les avec le lait, le sucre vanillé et le miel. Lorsque le mélange est bien homogène, versez-le dans des ramequins passés sous l'eau fraîche.

3. Faites cuire au bain-marie environ 20 minutes, le temps que le mélange prenne.

4. Sortez les ramequins du four et laissez refroidir.

5. Au moment de servir, parsemez de noix concassées et poudrez de poivre, dont les Romains faisaient leurs délices.

Remarque
La réputation des festins romains n'est plus à faire ; l'extravagance, le luxe inouï, la profusion et la rareté des victuailles participaient d'un véritable rituel qui pouvait durer des heures et des heures. Les principaux mets étaient confectionnés à base de céréales, de viandes bouillies relevées de sauces épicées, de miel bien sûr, de figues, de dattes, de fruits secs et... de poivre !

Les vins, conservés dans des amphores, étaient très prisés. Ils se buvaient frais, le plus souvent coupés d'eau.

Notre conseil
Servez de belles corbeilles de fruits, raisins, figues, fruits secs...

Buffet méditerranéen
Pour 6 à 8 personnes

Velouté au melon

1 beau melon bien mûr
6 dl d'eau
1 petit oignon nouveau et sa tige verte
1 cuillerée à soupe d'huile d'olive
50 g de crème fraîche liquide
1 petit bouquet de coriandre fraîche (ou de menthe, selon les goûts)
Sel, poivre rose

Temps de préparation : 30 mn.

1. Ouvrez le melon en deux et retirez tous les pépins. Prélevez quelques billes de pulpe et coupez le reste en petits morceaux.

2. Portez l'eau à ébullition, salez, poivrez, puis jetez-y les morceaux de melon (sauf les billes) ; laissez cuire pendant 8 à 9 minutes.

3. Pelez et hachez finement l'oignon et sa tige. Faites-le revenir dans l'huile ; lorsqu'il devient transparent, ajoutez-le à la pulpe de melon. Laissez tiédir, puis mixez cette soupe jusqu'à obtenir un velouté parfaitement lisse et homogène.

4. Ajoutez la crème fraîche, remettez dans la casserole et posez sur feu moyen pour que le velouté épaississe encore un peu. Mixez une nouvelle fois et, au besoin, passez au tamis. Laissez refroidir à température ambiante, puis placez au réfrigérateur jusqu'au moment de servir.

5. Versez le velouté dans des petits bols individuels, répartissez les billes de melon réservées et parsemez de coriandre ciselée.

Pizza à la ricotta

200 g de pâte à pizza
200 g de ricotta
100 g de jambon cru
20 g de parmesan fraîchement râpé
2 œufs
2 cuillerées à soupe de persil plat haché
6 olives
2 oignons nouveaux avec leur tige
1 cuillerée à soupe d'huile d'arachide
1 filet d'huile d'olive
Sel, poivre

Temps de préparation : 45 à 50 mn.

1. Préchauffez le four (th. 6). Étalez la pâte à pizza à l'aide d'un rouleau à pâtisserie. Huilez un moule à tarte et chemisez-le de pâte ; coupez les bords qui dépassent. Laissez reposer 5 minutes.

2. Égouttez la ricotta et battez-la avec les œufs entiers, le parmesan, le persil, du sel et du poivre.

3. Pelez et hachez finement les oignons avec leur tige, coupez le jambon en petits dés et ajoutez à la préparation précédente. Étendez cette garniture sur la pâte, répartissez les olives, arrosez d'un filet d'huile d'olive et enfournez pour 25 minutes. Dégustez chaud, tiède ou froid accompagné d'une salade (roquette ou mesclun) bien relevée.

Salade aux poires et au gorgonzola

100 g de gorgonzola
2 poires
1/2 concombre
1/2 poivron rouge
Le jus de 1 citron
1 laitue ou 1 romaine
2 cuillerées à soupe de crème fraîche
2 cuillerées à soupe d'huile d'olive
Sel, poivre

Temps de préparation : 20 mn.

1. Pelez les poires, épépinez-les, coupez-les en petits morceaux et placez-les dans un saladier ; arrosez-les de jus de citron.

2. Pelez le demi-concombre, épépinez-le et émincez-le finement. Faites griller le demi-poivron, pelez-le, épépinez-le et coupez-le en fines lanières.

3. Effeuillez la salade, lavez-la, essorez-la soigneusement et supprimez les grosses côtes.

4. Coupez le gorgonzola en petits cubes.

5. Dans le saladier où macèrent les poires, ajoutez la crème fraîche, l'huile, du sel et du poivre. Mélangez délicatement pour ne pas écraser les morceaux de poire. Ajoutez les autres ingrédients de la salade, tournez et placez au frais jusqu'au moment de servir.

Biscuit à l'huile d'olive

150 g de farine
100 g de sucre roux
5 cuillerées à soupe d'huile d'olive vierge extra
3 cuillerées à soupe de muscat (Beaumes-de-Venise, par exemple)
4 œufs
1 sachet de levure
1 pincée de sel
1 noix de beurre
Sucre glace pour la décoration

Temps de préparation : 1 h.

1. Cassez les œufs et séparez les blancs des jaunes. Fouettez les jaunes et le sucre jusqu'à ce que le mélange éclaircisse. Ajoutez la farine en pluie, la levure, le sel, l'huile d'olive et le vin. Montez les blancs en neige et incorporez-les délicatement à la préparation.

2. Préchauffez le four (th. 6). Beurrez un moule à manqué, versez-y la préparation et enfournez pour 35 minutes environ.

3. Sortez le moule du four et laissez tiédir ; démoulez d'un coup sec et poudrez de sucre glace. Coupez en parts individuelles et servez avec de la crème pâtissière, de la confiture d'abricot, ou encore du miel, du coulis, une salade de fruits, des figues fraîches, etc.

Menu breton

Pour 8 personnes

Mini-galettes de blé noir aux œufs de caille, au jambon blanc et au gruyère râpé

*500 g de farine de blé noir
ou 250 g de farine blanche
+ 250 g de farine de blé noir (sarrasin)*

4 œufs

*100 g de beurre salé mou,
ou fondu et clarifié*

50 cl d'eau

30 cl de cidre breton

Pour la garniture

16 œufs de caille

*4 tranches de jambon blanc
coupées en quatre*

200 g de gruyère râpé

30 g de beurre

Temps de préparation : 1 h 30 mn.

1. Versez la farine (ou les farines) en pluie dans une jatte. Formez un puits et cassez-y les œufs. Travaillez la pâte avec une spatule en bois, en versant lentement l'eau et le cidre. Vous devez obtenir une pâte légère et bien homogène. Ajoutez le beurre, puis laissez reposer la pâte 1 heure à température ambiante.

2. Dans des petites poêles à blinis, versez un peu de pâte et laissez prendre d'un côté, puis de l'autre. Maintenez les crêpes au chaud.

3. Préparez un grand bain-marie. Préchauffez le four (th. 4).

4. Faites fondre un peu de beurre dans 12 petits ramequins et cassez un œuf de caille dans chacun d'eux ; placez-les dans le bain-marie.

5. Enfournez, juste le temps que se forme, en surface, une légère pellicule blanche. Sortez les ramequins.

6. Sur une grande assiette plate, disposez le jambon et le fromage râpé ; présentez les ramequins. Chacun recouvrira sa galette de jambon et de gruyère, puis la dégustera avec un œuf de caille.

Fonds d'artichaut aux noix de pétoncles et au crabe

*8 petits artichauts frais ou
8 fonds d'artichaut surgelés*

*2 kg de pétoncles
ou 800 g de noix de pétoncles*

1 bouquet garni

1 verre de vin blanc

*1 petite boîte de miettes de crabe
de qualité supérieure ou
1 pain de chair de crabe surgelée*

25 cl de crème fraîche liquide

*2 cuillerées à soupe
de vinaigre de cidre*

1 bouquet de cerfeuil ou de ciboulette

1 citron - Sel, poivre

Temps de préparation : 35 mn.

1. Faites cuire les artichauts frais dans de l'eau citronnée. Coupez leur chapeau et retirez tout le foin. Si cette opération vous rebute, utilisez des fonds d'artichaut surgelés, plongez-les dans de l'eau bouillante citronnée pour les décongeler et faites-les égoutter dans une passoire.

2. Dans un faitout, mettez les pétoncles avec le bouquet garni et le vin blanc sur feu vif pour qu'elles s'ouvrent ; décoquillez-les. Si vous utilisez des noix de pétoncles déjà décoquillées, faites-les revenir rapidement dans une poêle avec le vin blanc et le bouquet garni. Faites réduire le jus de cuisson et ajoutez le crabe émietté bien égoutté. Mélangez le tout.

3. Dans un grand saladier, battez la crème fraîche et le vinaigre ; salez et poivrez. Hachez le cerfeuil ou la ciboulette et ajoutez à la sauce vinaigrée. Égouttez soigneusement les pétoncles et le crabe, versez dans le saladier et remuez longuement.

4. Étalez le reste du jus de cuisson des fruits de mer sur les fonds d'artichaut. Garnissez de pétoncles en sauce et placez au réfrigérateur jusqu'au moment de servir.

Croustades aux pommes

8 pommes

2 cuillerées à café de jus de citron

2 verres de cidre

50 g de sucre en poudre

*1 pain de pâte feuilletée surgelée
décongelée à l'avance*

25 cl de crème fraîche

*100 g de cassonade
ou 80 g de miel liquide*

50 g de beurre salé

2 jaunes d'œufs

*Poudre d'amandes ou de noix
(facultatif)*

1 cuillerée à soupe d'huile d'arachide

Temps de préparation : 1 h 10 mn.

1. Épluchez les pommes, évidez-les. Citronnez-les pour qu'elles restent bien blanches.

2. Mélangez le sucre et le cidre ; faites réduire à découvert dans une petite casserole à feu doux.

3. Travaillez la crème fraîche avec la cassonade ou le miel, le beurre et les jaunes d'œufs ; cette pommade doit être assez épaisse – au besoin, ajoutez de la poudre d'amandes ou de noix – pour être tassée dans les cavités des pommes.

4. Étalez la pâte feuilletée au rouleau à pâtisserie et découpez-la en carrés de 18 cm de côté environ.

5. Préchauffez le four (th. 5) ; graissez la lèchefrite.

6. Au centre de chaque carré de pâte, posez une pomme et emplissez sa cavité de crème, en tassant bien. Étalez le reste de la crème en petites galettes et réservez.

7. Enfermez les pommes dans la pâte feuilletée et disposez-les sur la lèchefrite. Enfournez pour 30 minutes environ, en arrosant de temps à autre avec le sirop de cidre réduit. Environ 10 minutes avant la fin de la cuisson, posez les galettes sur la lèchefrite et remettez au four.

8. Sortez la lèchefrite du four et laissez tiédir les croustades.

Noël traditionnel
Pour 8 personnes

Feuilletés au homard

120 g de beurre
3 cuillerées à soupe de farine
4 œufs - 2 verres de lait
4 cuillerées à soupe de noisettes concassées
2 cuillerées à soupe d'amandes en poudre
50 cl de crème fraîche
2 cuillerées à soupe d'armagnac
300 g de champignons de Paris
3 homards cuits frais ou surgelés et décongelés
2 abaisses de pâte feuilletée

Temps de préparation : 1 h.

1. Faites fondre 50 g de beurre dans une casserole sur feu doux ; versez doucement la farine et remuez 1 minute. Pendant ce temps, cassez les œufs en séparant les blancs des jaunes. Versez le lait dans la casserole et mélangez rapidement. Quand la béchamel commence à épaissir, ajoutez 3 jaunes d'œufs, les noisettes, les amandes en poudre, la crème fraîche et l'armagnac. Battez les blancs en neige et incorporez-les délicatement à la sauce.

2. Faites revenir dans une poêle les champignons nettoyés avec le reste de beurre ; mélangez à la préparation.

3. Découpez les homards, décortiqués en petits morceaux. Étalez la première abaisse de pâte feuilletée sur la lèchefrite humectée d'eau et recouvrez-la de morceaux de homard. Nappez de béchamel. Posez la deuxième abaisse de pâte par-dessus et pressez légèrement les bords pour la souder à l'autre.

4. A l'aide d'un pinceau, badigeonnez le jaune d'œuf restant sur le dessus de la tourte ; incisez-la de façon décorative avec la pointe d'un couteau. Placez au réfrigérateur 1 heure au minimum pour que les ingrédients durcissent.

5. Préchauffez le four (th. 6). Enfournez pour 10 minutes à température maximale, puis laissez cuire 45 minutes (th. 5). Quand elle est cuite, découpez la tourte en petits feuilletés individuels. Servez chaud sur un lit de salade verte, avec de la crème fraîche battue.

Salade de confit de canard

1 magret et 1 cuisse de canard confits
1 chicorée frisée
200 g de cèpes
1 petite boîte de marrons au naturel
8 tranches de pain de campagne
1 gousse d'ail pelée et hachée
Pour la vinaigrette
1 cuillerée à café de moutarde à l'estragon
1 cuillerée à soupe de vinaigre
3 cuillerées à soupe d'huile de noisette
Sel, poivre

Temps de préparation : 35 mn.

1. Lavez et essorez soigneusement la salade. Coupez-la en chiffonnade et répartissez-la sur des assiettes.

2. Dans une poêle, faites revenir rapidement le magret et la cuisse de canard, débarrassés de leur graisse, pendant 3 à 4 minutes de chaque côté. Laissez-les tiédir, puis découpez-les en aiguillettes bien fines.

3. Préparez la vinaigrette : mélangez tous les ingrédients et émulsionnez-les.

4. Faites griller les tranches de pain et frottez-les avec la gousse d'ail. Égouttez les marrons et coupez-les en petits morceaux. Essuyez les cèpes et coupez-les en lamelles.

5. Déposez sur chaque lit de salade un peu de canard, quelques morceaux de marrons, des lamelles de cèpes ; arrosez d'un peu de vinaigrette et servez avec les tranches de pain tièdes.

Recettes de plus
Petits chaussons au saumon et frites de céleri, pages 92-93.

Gâteau aux marrons

1 biscuit de Savoie
1 boîte de crème de marron
200 g de crème fraîche épaisse
2 cuillerées à soupe de liqueur (Grand-Marnier ou curaçao)
100 g de chocolat noir amer cassé en morceaux ou râpé
50 g de beurre
Pour la décoration
Cerises confites
Quelques marrons glacés

A préparer 2 à 3 heures à l'avance.
Temps de préparation : 30 mn.

1. Découpez longitudinalement le biscuit de Savoie en 3 disques d'épaisseur égale.

2. Fouettez la crème fraîche en chantilly légère et mélangez-la avec la crème de marron ; soulevez la préparation avec une spatule pendant quelques minutes pour l'aérer.

3. Mélangez la liqueur avec 2 cuillerées à soupe d'eau, puis humectez l'un des disques. Étalez dessus un tiers de la crème.

4. Posez le deuxième disque sur le premier, tartinez avec un deuxième tiers de crème, posez le troisième disque et recouvrez du reste de crème. Placez le gâteau au réfrigérateur pendant 2 heures.

5. Préparez le glaçage : sur feu doux ou au four à micro-ondes, faites fondre le chocolat dans 1 cuillerée à soupe d'eau. Lissez, laissez tiédir, puis ajoutez le beurre coupé en noisettes. Mélangez jusqu'à obtention d'une crème homogène.

6. Sortez le gâteau du réfrigérateur. Versez le glaçage. Égalisez avec la lame d'un couteau. Replacez le gâteau au réfrigérateur jusqu'au moment de servir.

7. Au dernier moment, sortez le gâteau du réfrigérateur et mettez-le sur un joli plat de service. Décorez-le de cerises confites et de marrons glacés.

Noël provençal
Pour 8 personnes

Vin d'orange

2 l de vin blanc de Cassis
3 cuillerées à soupe de grappa (ou autre alcool blanc)
3 oranges non traitées (si possible des maltaises)
1 orange amère
90 g de sucre
4 clous de girofle
1 citron

A préparer au moins 1 mois à l'avance.
Temps de préparation : 20 mn.

1. Détaillez le zeste du citron en ruban ; ébouillantez-le et ciselez-le en très fines lanières.

2. Dans un grand bocal fermant hermétiquement, versez le vin blanc et l'alcool blanc. Essuyez les oranges, coupez-les en fines rondelles et ôtez leurs pépins ; placez-les dans le récipient, ajoutez le sucre, les clous de girofle et le zeste de citron. Bouchez le récipient et laissez reposer, au frais et à l'ombre, pendant 1 mois au minimum.

3. Au moment de servir, filtrez le liquide au tamis, pressez les ingrédients solides pour en extraire tout le jus et mettez en bouteille ou en carafe.

A consommer très frais !

Notre conseil
A la place du vin blanc, vous pouvez utiliser un bon rosé de Provence, voire un muscat légèrement sucré. Dans ce cas, diminuez de moitié la quantité de sucre.

Avec ce vin d'orange, servi en apéritif, présentez un assortiment d'olives vertes et noires aromatisées aux herbes de Provence, ainsi que du cake au lard et aux olives acheté tout prêt.

Au milieu du repas, offrez « un trou provençal au romarin » (un sorbet au parfum de votre choix, couvert de poudre de romarin et d'une cuillerée d'alcool blanc).

Croûtons aux truffes et à la fleur de sel

1 baguette de pain
1 truffe
Fleurs de sel
1 cuillerée à soupe d'huile d'olive

Temps de préparation : 10 mn.

1. Faites griller des petites tranches de baguette.

2. Disposez dessus de fines lamelles de truffes. Parsemez de fleurs de sel.

3. Ajoutez, au dernier moment, une goutte d'huile d'olive.

Beignets de fleurs de courgette

500 g de fleurs de courgette
150 g de farine
2 cuillerées à soupe de fleurs de thym ou de lavande
1 l d'huile d'arachide
Coulis de tomate (voir recette p. 24)

Temps de préparation : 30 mn.

1. Préparez la pâte à frire : battez la farine avec suffisamment d'eau pour obtenir une pâte molle un peu liquide. Ajoutez les fleurs de thym ou de lavande et mélangez.

2. Faites chauffer l'huile dans une grande sauteuse ou, mieux, dans une friteuse.

3. Préparez les fleurs de courgette : ôtez le pistil et la queue pour ne garder que les pétales orangés, au goût très délicat. Plongez les fleurs dans la pâte à frire et posez-les délicatement dans le panier de la friteuse ; plongez-les dans l'huile, faites-les dorer sur toutes leurs faces et, lorsqu'elles sont prêtes, posez-les sur du papier absorbant.

4. Servez avec le coulis de tomate, dans lequel chacun trempera les beignets.

Sardines aux herbes de Provence

16 petites sardines vidées et écaillées
2 cuillerées à soupe d'herbes mélangées
125 g de fromage blanc (brousse)
1 cuillerée à soupe d'huile d'olive
Sel, poivre du moulin

Temps de préparation : 25 mn.

1. Fendez les sardines en deux avec un couteau bien aiguisé.

2. Mélangez le fromage et les herbes, salez, poivrez et farcissez-en l'intérieur des sardines. Refermez-les en les liant avec de la ficelle de cuisine.

3. Allumez le four (th. 4) ; étalez les sardines en les espaçant, dans un plat allant au four ; arrosez-les d'huile d'olive ; enfournez pour 10 minutes environ.

4. Sortez le plat du four et ôtez la ficelle. Faites glisser les sardines sur un plat de service et servez-les chaudes ou tièdes.

Dorade crue à l'huile d'olive

1 dorade émincée par votre poissonnier
1 verre d'huile d'olive
3 citrons jaunes non traités
Sel, poivre du moulin

Temps de préparation : 1 h.

1. Sur un grand plat en porcelaine, disposez en rosace, les lamelles de dorade ; arrosez-les d'huile d'olive.

2. Râpez le zeste de 1 citron sur le poisson et exprimez le jus des 3 citrons. Versez-le au-dessus du plat, salez, poivrez et placez au frais jusqu'au moment de servir.

Notre conseil
Servez avec des tranches de pain de campagne grillées, arrosées d'huile d'olive et parsemées de brins de romarin.

Petits farcis

Pour les supports
Petites courgettes

Petites aubergines

Champignons de Paris ou cèpes

Petites tomates

Petits poivrons

Oignons

Pour la farce au porc
200 g d'échine de porc hachée

1 œuf

1 pincée de noix muscade râpée

Sel, poivre

Pour la farce aux herbes
200 g de vert de bette

*2 cuillerées à soupe
de ciboulette hachée*

*2 cuillerées à soupe
de persil plat haché*

2 cuillerées à soupe de cerfeuil haché

*2 cuillerées à soupe
de coriandre hachée*

20 g de céleri-branche haché

*2 petits oignons de printemps
et leur tige*

1 jaune d'œuf

30 g de mie de pain

*50 g de ricotta
ou de brousse de brebis*

5 cl de lait - Sel, poivre

Pour la farce au riz
100 g de riz cuit

50 g de parmesan

35 g de pignons de pin

2 cuillerées à soupe de tapenade

2 cuillerées à soupe de jus de citron

2 cuillerées à soupe d'huile d'olive

*4 cuillerées à soupe
d'herbes de Provence
(thym, romarin, laurier, sauge, etc.)*

Sel, poivre

Chapelure - Huile d'olive

Temps de préparation : 1 h 10 mn.

1. Préparez les légumes destinés à servir de support : lavez-les et séchez-les. Évidez les tomates après avoir retiré le chapeau. Coupez les poivrons en deux et épépinez-les. Coupez les extrémités des aubergi-nes, coupez-les en deux et creu-sez-les au centre ; faites de même avec les courgettes. Coupez le pied des champignons. Pelez et évidez les oignons.

2. Préparez toutes les farces en mixant leurs ingrédients respectifs.

3. Garnissez de farces différentes tous les légumes préparés.

4. Préchauffez le four (th. 3). Ran-gez tous les légumes dans un grand plat allant au four. Videz un verre d'eau au fond du plat. Saupoudrez les légumes de chapelure et arrosez d'huile d'olive. Laissez confire pendant 2 à 3 heures en surveillant la cuisson : ne laissez pas brunir.

5. Quand ils sont cuits, sortez les petits farcis du four et laissez tiédir avant de servir.

Notre conseil
Vous pouvez détailler les auber-gines et les courgettes en tronçons de 3 à 4 cm de long pour en faire des bouchées individuelles.

Petits fromages de chèvre à l'huile

500 g de petits chèvres un peu secs

1 l d'huile d'olive vierge extra

*5 cuillerées à soupe de sarriette,
de thym et de romarin en mélange*

A préparer au moins 1 mois à l'avance.
Temps de préparation : 10 mn.

1. Dans un grand bocal fermant hermétiquement, disposez une cou-che de petits fromages, couvrez d'herbes aromatiques, mettez une nouvelle couche de fromages, et ainsi de suite jusqu'à épuisement des ingrédients.

2. Recouvrez complètement d'hui-le d'olive et fermez hermétiquement le bocal. Dégustez les petits chèvres égouttés, 1 mois plus tard au mini-mum, sur des toasts de pain de cam-pagne grillés.

Notre conseil
Ces petits chèvres peuvent s'ache-ter tout prêts, en bocaux.

Compote de figues au vin

500 g de figues

100 g de sucre

1/2 l d'eau

2 verres de rosé de Provence

1 cuillerée à café de zeste de citron

Temps de préparation : 30 mn.

1. Pelez les figues et coupez-les en quartiers.

2. Faites bouillir l'eau avec le sucre jusqu'à ce que le mélange devienne sirupeux ; ajoutez les figues, le vin et le zeste de citron. Couvrez et lais-sez mijoter pendant 20 minutes.

3. Laissez refroidir et servez avec les desserts de Noël.

Les treize desserts traditionnels de Noël

En souvenir du Christ et de ses douze apôtres, les repas de Noël provençaux comportent tradition-nellement treize desserts.

Les mendiants
Raisins secs + amandes + noi-settes + figues sèches + dattes + noix.

Les sucreries
Nougat, pâtes de coings ou d'autres fruits, fruits confits, calissons d'Aix-en-Provence.

Les fruits frais
Mandarines ou clémentines, pom-mes ou poires, raisin.

Les pâtisseries
Fougasse, pompe à l'huile, bu-gnes d'Arles.

Les boissons alcoolisées
Vin de muscat de Beaumes-de-Venise, raisins à l'eau-de-vie (1 kg de raisins blancs bien mûrs mais fermes pour 1 l d'eau-de-vie et 5 morceaux de sucre).

Réveillon du Nouvel An
Pour 8 personnes

Tartare de haddock aux blinis tièdes

400 g de haddock cru
3 verres de vodka
2 tranches de pain de mie légèrement rassises
3 cuillerées à soupe de crème fraîche épaisse
1 filet d'huile d'olive
Le jus de 1 citron vert
1 bouquet de ciboulette
Blinis
Sel, poivre du moulin

A préparer 4 heures à l'avance.
Temps de préparation : 15 mn.

1. Faites mariner le haddock pendant 3 à 4 heures dans de la vodka. Égouttez-le soigneusement, pressez-le pour en extraire tout l'alcool, effeuillez-le et placez les miettes dans le bol d'un mixer électrique.

2. Enlevez la croûte des tranches de pain, émiettez la mie et mettez-la dans le bol du mixer. Ajoutez la crème fraîche, l'huile d'olive, le jus de citron, la ciboulette nettoyée, du sel et du poivre.

3. Actionnez l'appareil jusqu'à ce que vous obteniez une crème semi-liquide, mais qui ne sera pas parfaitement homogène à cause du poisson.

4. Versez cette pâte dans une terrine en porcelaine munie d'un couvercle, couvrez-la et mettez-la à durcir dans le réfrigérateur.

5. Au dernier moment, sortez la terrine du réfrigérateur et présentez-la sur la table avec les blinis réchauffés au four.

Notre conseil

Vous pouvez remplacer la vodka par du jus de citrons verts ou du vin blanc de Cassis ou encore du Champagne.

Terrine de foie gras

1 lobe de foie gras cru de canard légèrement congelé
100 g d'épinards
100 g de champignons (cèpes de préférence)
100 g de fonds d'artichaut
100 g de saumon fumé coupé en fines lanières
1 bouquet de ciboulette ou quelques feuilles de sauge ciselées
Gros sel
Mignonnette (poivre grossièrement concassé)
5 dl de bouillon de volaille

A préparer la veille.
Temps de préparation : 40 mn.

1. Escalopez le foie gras en fines tranches, disposez-les dans un plat creux en terre cuite et couvrez-les d'un linge propre. Placez le plat au frais.

2. Faites cuire tous les légumes séparément dans le bouillon de volaille, égouttez-les et faites réduire légèrement le jus de cuisson.

3. Allumez le four (th. 4) et préparez un bain-marie pouvant contenir le plat en terre cuite.

4. Sortez le plat du réfrigérateur et arrosez le foie gras du jus de cuisson des légumes. Enfournez pour 10 minutes environ.

5. Sortez le plat du four et laissez tiédir. Dans une belle terrine en porcelaine blanche, disposez des couches successives de foie gras mi-cuit, de légumes, de lanières de saumon, de ciboulette ou de sauge, de sel et de mignonnette. Posez le couvercle, mettez un poids dessus et placez au réfrigérateur pendant 12 heures.

Notre conseil

Cette délicieuse recette de « grand chef » fera l'admiration de vos convives. Servez la terrine avec des tranches de pain grillées, juste tièdes...

Galettes de céleri aux truffes

400 g de pommes de terre (ratte ou BF15)
400 g de céleri-rave
80 g de beurre salé
1 truffe (facultatif)
Sel, poivre

Temps de préparation : 40 mn.

1. Râpez les pommes de terre et le céleri ; salez et poivrez.

2. Beurrez des ramequins individuels. Allumez le four (th. 5) et préparez un bain-marie.

3. Émincez la truffe très finement.

4. Étalez 1 cuillerée à soupe de légumes râpés dans le fond des ramequins, tassez, posez 1 lamelle de truffe, couvrez de légumes et continuez ainsi jusqu'à ce que le ramequin soit rempli à mi-hauteur. Placez les ramequins dans le bain-marie.

5. Enfournez et laissez cuire pendant 20 minutes. La surface doit devenir dorée. Sortez le plat du four et laissez tiédir.

6. Démoulez les galettes et laissez-les en attente sur un plat allant au four. Au moment de servir, faites-les réchauffer et présentez-les avec la terrine de foie gras.

Œufs cocotte en oursin

8 oursins
8 œufs très frais
Poivre du moulin
60 g de beurre demi-sel

Temps de préparation : 30 mn.

1. Avec des ciseaux, coupez les oursins au tiers de leur hauteur. Grattez le corail et les langues, et mettez dans une coupelle. Recueillez le reste dans une autre coupelle. Nettoyez les coques et gardez les chapeaux.

2. Préchauffez le four (th. 6). Dans chaque coque d'oursin bien séchée, placez 1 noisette de beurre et un peu du contenu de chacune des coupelles ; cassez un œuf dedans, poivrez, ajoutez 1 noisette de beurre et posez les oursins dans un plat creux.

3. Enfournez pour 9 minutes. Sortez le plat du four et couvrez chaque oursin d'un chapeau. Laissez tiédir.

Feuilletés aux escargots

1 abaisse de pâte feuilletée
1 cuillerée à soupe de farine
1 boîte d'escargots
25 cl de crème fraîche
1 échalote
1 morceau de céleri (branche ou boule)
1 feuille de laurier
1 branche de thym
20 g de beurre
1 petit verre de vin blanc sec
Sel, poivre

Temps de préparation : 40 mn.

1. Étalez la pâte feuilletée sur le plan de travail légèrement fariné.

2. Rincez les escargots sous l'eau fraîche, égouttez-les et séchez-les sur du papier absorbant. Réservez leur jus.

3. Pelez et hachez l'échalote et le céleri. Émiettez la feuille de laurier et la branche de thym. Dans une petite casserole sur feu moyen, faites fondre 1 noisette de beurre et mettez-y à revenir ces ingrédients ; ajoutez les escargots et le vin blanc – au besoin, complétez avec le jus des escargots. Laissez réduire de moitié, puis égouttez dans une passoire en recueillant le jus de cuisson.

4. Reversez le jus de cuisson dans la casserole, remettez sur feu moyen et ajoutez la crème fraîche, le sel et le poivre ; laissez la sauce épaissir légèrement.

5. Découpez la pâte feuilletée en rectangles de 6 × 8 cm. Préchauffez le four (th. 5).

6. Beurrez une plaque à pâtisserie (lèchefrite). Posez dessus les rectangles de pâte en les espaçant suffisamment. Roulez-en les côtés pour former un rebord qui empêchera la garniture de s'échapper.

7. Enfournez pour 5 à 10 minutes, puis sortez la plaque du four et maintenez les feuilletés au chaud.

8. Faites réchauffer séparément les escargots et la sauce (attention à ce qu'elle ne coagule pas). Répartissez les escargots sur les feuilletés et nappez de sauce. Maintenez au chaud jusqu'au moment de servir.

Pâté de lapin en croûte

400 g de pâte feuilletée
1 beau lapin désossé (avec son foie)
200 g de veau
250 g d'échine de porc
150 g de lard gras
2 tasses de vin blanc sec
1 tasse de cognac
1 feuille de laurier
1 branche de thym
Sel, poivre

A préparer la veille.

Temps de préparation : 3 h.

1. Coupez le lapin en morceaux et le râble en tranches régulières.

2. Faites une marinade avec le vin, le cognac, le thym et le laurier émiettés, ajoutez du poivre : faites-y mariner tous les morceaux de lapin pendant 24 heures en remuant de temps en temps.

3. Le lendemain, faites chauffer le four (th. 6) ; étalez la pâte feuilletée sur la lèchefrite et enfournez-la le temps qu'elle dore légèrement.

4. Hachez toutes les viandes séparément, à l'exception du foie et du râble du lapin. Tapissez une grande terrine en terre cuite ou en porcelaine de bardes de lard et déposez une couche de hachis, un morceau de foie, des morceaux de râble jusqu'à épuisement des ingrédients. Rabattez les bardes de lard et le dessus, couvrez et enfournez pour 45 minutes.

5. Sortez la terrine du four et laissez refroidir. Démoulez le pâté, ôtez les bardes, et placez-le au centre de la pâte feuilletée. Enveloppez le pâté en soudant bien les côtés. Formez une cheminée pour laisser passer la vapeur.

6. Allumez le four (th. 5) ; enfournez le pâté et laissez-le cuire jusqu'à ce que la croûte soit croustillante et dorée.

7. Laissez-le refroidir avant de le couper en tranches.

Vacherin à l'ananas

8 coques de meringue individuelles
1 l de glace à la vanille ou de sorbet à l'ananas
4 petits ananas de la Réunion
200 g de sucre en morceaux
3 gouttes de vinaigre
Quelques pralines

Temps de préparation : 30 mn.

1. Épluchez les ananas et coupez la pulpe en petits cubes de 1,5 cm de côté – il est inutile d'ôter le bois qui n'est pas dur dans les ananas de la Réunion.

2. Préparez le caramel : placez les morceaux de sucre dans une casserole, ajoutez un demi-verre d'eau et le vinaigre, puis faites chauffer. Lorsque le caramel prend une couleur dorée, plongez-y les dés d'ananas hors du feu. Nappez-les de caramel, puis laissez-les refroidir sur du papier aluminium.

3. Au moment de servir, détaillez la glace en petites boules et répartissez-les dans les coques de meringue. Garnissez de dés d'ananas caramélisés et décorez avec les pralines.

Quelques recettes de plus...

La profusion des mets présentés participe à la réussite d'une réception. Aussi, avons-nous sélectionné quelques recettes qui peuvent compléter, comme nous vous l'avons suggéré, certains buffets, et se conjuguer également à d'autres, à votre gré.

Par exemple, le satsiki s'accommodera très bien à un buffet de printemps, d'été, méditerranéen, ou un barbecue ; les cèpes à l'huile d'olive accompagneront un cocktail traditionnel, un repas italien ou un apéritif dînatoire...

N'oublions pas, c'est la fête ! La fantaisie doit être au rendez-vous pour varier vos plaisirs et ceux de vos invités, gourmands et gourmets.

« Bruschetta » ou petits toasts à l'italienne

6 belles tomates bien mûres (roma ou olivettes de préférence)

6 belles feuilles de basilic frais, ciselées

1 dl d'huile d'olive vierge extra

1 pain de campagne long, prétranché

2 gousses d'ail, pelées et coupées en deux

Sel, poivre

Temps de préparation : 15 mn.

1. Plongez les tomates dans de l'eau bouillante, égouttez-les, pelez-les, coupez-les en deux et épépinez-les. Coupez la chair en petits morceaux.

2. Dans une casserole, faites revenir les tomates dans 2 cuillerées à soupe d'huile d'olive jusqu'à ce qu'elles s'écrasent ; ajoutez alors le basilic, faites réduire à feu vif puis laissez refroidir.

3. Pendant ce temps, préparez les toasts : frottez-les d'ail puis faites-les griller rapidement au barbecue sur leurs deux faces ; recouvrez-les de purée de tomate, humectez avec le fond d'huile qui reste et dégustez-les froids ou chauds.

Notre conseil

Vous pouvez également préparer des « crostini » : fines tranches de pain, tartinées de tapenade, d'ail, de fines herbes ou de fromages de chèvre, grillées au four 10 à 15 minutes (th. 3).

Petits chaussons au saumon

300 g de gravlax (voir recette p. 46)

4 belles tranches de saumon fumé de qualité supérieure coupées en deux

1 dl de crème fraîche liquide

2 échalotes

1/2 bouquet d'aneth

1 bouquet de ciboulette

1/2 citron vert

Sel, poivre

Temps de préparation : 15 mn.

1. Coupez les gravlax en petits dés.

2. Préparez la sauce : battez doucement au fouet la crème fraîche, les échalotes pelées et hachées, du sel et du poivre.

3. Rincez l'aneth à l'eau fraîche et essuyez-le sur du papier absorbant. Ciselez-le finement dans la sauce et mélangez bien. Placez les dés de saumon dans cette marinade, le temps de préparer le reste de la recette.

4. Étalez les tranches de saumon fumé ; posez sur chacune d'elles un peu de gravlax à la crème et refermez en forme de chausson avec une pique en bois.

5. Exprimez le jus de citron vert et aspergez les petits chaussons. Placez au frais jusqu'au moment de servir. A la dernière minute, ciselez le bouquet de ciboulette et parsemez-en les chaussons. Présentez avec des toasts de pain de mie grillés et coupés en triangles.

Raviolis de porc et de crevettes à la vapeur

20 feuilles à raviolis chinois (dans les magasins spécialisés)

Quelques brins de ciboulette

Pour la farce

200 g de viande de porc dans l'échine

400 g de grosses crevettes décortiquées

200 g de chair de crabe

4 champignons noirs

2 châtaignes d'eau (dans les magasins spécialisés)

2 cuillerées à soupe de sauce soja

1/2 cuillerée de Maïzena

Alcool de riz (facultatif)

Poudre de piment (facultatif)

Temps de préparation : 20 mn.

1. Hachez finement tous les ingrédients de la farce et mélangez le tout soigneusement. Goûtez et ajoutez un peu de poudre de piment si vous préférez plus épicé.

2. Emplissez les petites feuilles à raviolis d'un peu de farce et refermez-les en aumônière ; fermez-les avec des brins de ciboulette.

3. Faites cuire les raviolis à la vapeur dans des petits paniers en osier conçus à cet effet (vous les trouverez chez les commerçants spécialisés ou dans les grandes surfaces).

4. Faites réchauffer les raviolis quelques instants au four à micro-ondes au moment de servir.

Notre conseil
Vous pouvez également les faire frire.

Chutney doux

6 oignons nouveaux
3 gousses d'ail
1/2 poivron rouge
1/2 poivron jaune
3 abricots ou 1 morceau de melon
2 cuillerées à soupe de gingembre fraîchement râpé
Sel, poivre

Temps de préparation : 55 mn.

1. Pelez les oignons et les gousses d'ail ; émincez-les finement. Pelez et épépinez les poivrons, hachez-les grossièrement au couteau. Dénoyautez les abricots ou épépinez le melon, puis coupez en morceaux.

2. Dans une grande casserole, faites bouillir de l'eau salée. Plongez-y les ingrédients que vous venez de préparer, couvrez et faites cuire pendant 15 minutes.

3. Égouttez et écrasez grossièrement en purée le contenu de la casserole, ajoutez le gingembre, salez et poivrez. Transvasez dans des bocaux en verre fermant hermétiquement, mettez les couvercles en place, posez dans un autocuiseur et laissez cuire pendant 20 minutes.

4. Sortez les bocaux de l'autocuiseur et laissez refroidir.

Chutney acidulé

2 tomates
2 pommes acidulées
2 oignons
1 cuillerée à soupe de gingembre fraîchement râpé
1 cuillerée à soupe de raisins secs blonds
1 cuillerée à soupe de vinaigre

Temps de préparation : 45 mn.

1. Ébouillantez les tomates, pelez-les, coupez-les en deux et épépinez-les. Coupez la pulpe en petits cubes.

2. Pelez les pommes et les oignons. Râpez-les grossièrement.

3. Mettez tous les ingrédients dans une grande casserole, couvrez et laissez réduire, sur feu moyen, pendant au moins 30 minutes.

4. Versez le mélange dans des bocaux fermant hermétiquement et laissez refroidir.

Notre conseil
Plus les chutneys vieilliront, meilleurs ils seront. Toutefois, n'attendez pas plus de 1 mois pour les déguster, car ils ne sont pas véritablement stérilisés.

Frites de céleri

1 boule de céleri-rave
Huile de friture
1 cuillerée à soupe de persil plat haché

Temps de préparation : 30 mn.

1. Épluchez le céleri et ôtez soigneusement tous les yeux. Détaillez-le en bâtonnets assez épais, comme des frites.

2. Plongez les frites de céleri dans l'huile bien chaude ; laissez quelques instants, ressortez, puis replongez dans l'huile jusqu'à ce que les frites soient bien dorées.

3. Au moment de servir, replongez les frites quelques instants dans l'huile chaude, égouttez-les soigneusement, séchez-les sur du papier absorbant, placez-les dans un grand plat creux et parsemez le persil haché.

Cèpes à l'huile d'olive

8 beaux cèpes bien fermes
1 cuillerée à soupe de vinaigre
1 l d'huile d'olive vierge extra
2 gousses d'ail pelées entières
1 bouquet garni

Si possible à préparer la veille.

Temps de préparation : 15 mn.

1. Nettoyez les cèpes : ne les lavez pas, essuyez-les simplement avec du papier absorbant. Coupez-les en lamelles. (Cette recette n'utilise que les têtes ; vous pouvez mettre les pieds dans une soupe ou une omelette, par exemple).

2. Faites chauffer de l'eau dans une casserole ; ajoutez le vinaigre. Quand l'eau bout, plongez-y les cèpes. Au bout de 10 minutes environ, ôtez la casserole du feu et égouttez les cèpes très soigneusement à l'aide d'une écumoire. Laissez-les refroidir, puis placez-les dans un grand bocal fermant hermétiquement. Recouvrez-les largement d'huile d'olive, et ajoutez l'ail et le bouquet garni. Fermez hermétiquement et placez le bocal (ou les bocaux) au frais au moins 12 heures.

3. Au moment de servir, sortez les cèpes avec une pince à cornichons et présentez-les avec des piques en bois.

Notre conseil
Si vous dégustez ces cèpes dans les jours qui suivent leur préparation, vous n'avez pas besoin de stériliser le bocal. En revanche, si vous les destinez à la conservation, stérilisez les bocaux pendant 1 heure dans un autocuiseur.

Vous pouvez préparer les girolles (dont la saison est si courte), les champignons de Paris, les artichauts et les poivrons rouges de cette façon.

Si vous manquez de temps, il existe des cèpes marinés dans l'huile en bocal (recette italienne).

Satsiki

1 concombre
1 oignon nouveau avec sa tige verte
2 yaourts (grecs de préférence)
6 feuilles de menthe
2 cuillerées à soupe de crème fraîche
1 gousse d'ail
Le jus de 1/2 citron
Sel, poivre

Temps de préparation : 30 mn.

1. Pelez le concombre et coupez-le en petits cubes ; salez et laissez dégorger 15 minutes environ. Rincez les cubes de concombre à l'eau fraîche, puis séchez-les.

2. Hachez l'oignon, l'ail pelé et les feuilles de menthe dans le bol d'un mixer. Versez dans une jatte, puis ajoutez le concombre égoutté, la crème, les yaourts et le jus de citron ; salez et poivrez.

3. Versez la préparation dans un bol et placez au moins 15 minutes au réfrigérateur.

Index

Imprimé en France-Publiphotoffset 93500 Pantin-en juillet 1996